# 実践・哲学ディベート

〈[illegible]〉を見極める



高橋 昌一郎 Takahashi Shoichiro

# はじめに――「哲学ディベート」とは何か

一般に「ディベート(debate)」とは、相手を「打ち負かす(beat)」から派生した単語で、古くは「戦争」や「競争」を指示した言葉である。それが転じて「討論」や「議論」を意味するようになったわけだが、今でもディベートといえば、具体的には勝ち負けを競う弁論の「競技ディベート」を指すことが多い。

正式な競技ディベートでは、たとえば「死刑制度を存置すべきか否か」や「売買春を合法化してよいのか否か」のように、中間の選択肢が存在せず、明確に「肯定側」と「否定側」に分かれる「論題」が選ばれる。さらに、競技の参加者は「くじ引き」で肯定側になるか否定側になるかが決められる。競技ディベートでは、肯定か否定かの結論そのものが重要なのではなく、いかに怜悧に推論を組み立てて審判を説得できるかが問われるからである。

ルールも細かく定められていて、最初に肯定側が一〇分間の「立論」を述べ、否定側が三分間の「反対尋問」を行い、次に否定側の一〇分間の立論と肯定側の三分間の反対尋問があって、五分間の「作戦タイム」がある。以上のステップをもう一度繰り返して作戦タイムが終わると、今度は否定側と肯定側の順で「反駁（はんばく）」を三分間ずつ行い、最後に否定側と肯定側の順で「最終立論」を行って、審判の「判定」が下される。

競技ディベートでとくに重要なのは、一つ一つの論点に対して、明確な理由や根拠を明らかにすることである。反対尋問では、相手の矛盾を追及し、不明瞭な論点を突き詰めて、相手が説得力のある理由や根拠を示すことができなければ、尋問サイドに大きなポイントが加えられる。審判は、これらの点数の合計で勝ち負けを判定する。もし相手が何も反論できずに黙り込んでしまえば、いわゆる「論破」となって、完全勝利となるわけである。

競技ディベートのルールを見れば、それが法廷における検察側と弁護側の討論のアナロジーになっていることがわかるだろう。裁判では、議論を有利に運び、相手に打ち勝って、裁判官や陪審員・裁判員を説得することが最も重視される。あるいは、真犯人の行為を立証する探偵や、容疑者を取り調べる刑事などの迫力ある追及を想い起こしてもらってもよい。競技ディベートでは、何よりも最終的に勝つことが大切なのである。

古代ギリシャ時代の哲学者アリストテレスは、「いかなる状況においても説得の方法を見つけ出す能力」こそが「弁論術」だと定義した。競技ディベートが、その種の「説得の方法」を磨くための非常によい訓練になることは、たしかである。

ただし、残念なことに、多くの現実的問題の背景には、さまざまな興味深い哲学的問題が潜んでいるにもかかわらず、競技ディベートでは、そこまで深く踏み込んで議論することが少ない。

たとえば「尊厳死を容認すべきか否か」のような論題を競技ディベートで扱う場合、あくまで現代の医学的あるいは法的な立論から審判を説得しようとする推論が多く、その背景にある生命倫理観や死生観といった人生哲学そのものを考察するケースは、ほとんどない。というのは、一般に哲学的見解は、理想論あるいは抽象論すぎると相手から批判される難点があるからだ。議論の展開によっては、「机上の空論で非現実的」だと一言で反論されることがあるため、競技ディベートでは敬遠されることが多くなる。

そこで、以前から私が推奨しているのが、議論に勝つことや、相手を論破し説得することが目的ではなく、純粋に多種多様な哲学的見解を浮かび上がらせて、自分が何に価値を置いているのかを見極める「哲学ディベート」という議論の方法である。

哲学ディベートの目的は、現実問題の背後にある哲学的見解を見出し、お互いの意見や立場の相違を明らかにしていく過程で、かつて考えたこともなかった発想や、これまで気付かなかったものの見方を発見すること、さらにそこからまったく新しいアイディアを生み出すことにある。

たとえば、「出生前診断を受けるべきか否か？」という問題は、実際に妊娠したカップルが判断を迫られる「人生の選択」である。ところが、その現実の問題を追究していくと、実は、その背景に「生まれてこないほうがよかったのか？」という「反出生主義」と呼ばれる哲学的見解が潜んでいることがわかるだろう。

本書は、第1章「出生前診断と反出生主義」、第2章「英語教育と英語公用語論」、第3章「美容整形とルッキズム」、第4章「自動運転とAI倫理」、第5章「異種移植とロボット化」について、各章を現実的問題と哲学的問題の二つのセクションに分けた「実践・哲学ディベート」によって構成されている。

本書が焦点を当てているのは、実際に誰もが遭遇する可能性のあるさまざまな「人生の選択」である。舞台は大学の研究室、教授と五人の学生がセミナーで話している光景……。読者は、発言者のどの論点に賛成あるいは反対するだろうか？　読者は、どの論点に最も価値を見出すだろうか？　その議論の先はどうなるのだろうか？

これまで思いもしなかった新たな発想を発見するためにも、ぜひ視界を広げて、一緒に考えてほしい！

実践・哲学ディベート——〈人生の選択〉を見極める　目次

校閲　金子亜衣
DTP　佐藤裕久

# 第1章 出生前診断と反出生主義

## 1 出生前診断を受けるべきか？

**教授** 本日のセミナーを始めます。テーマは「命の選択」です。

科学技術が飛躍的に発展した現代社会では、もはや「科学を視野に入れない哲学」も「哲学を視野に入れない科学」も成立しません。その中でも、とくに大きな変化が生じているのが「人間の命」に対する考え方です。

今日は、これから文学部のAさんに「出生前診断を受けるべきか？」という問題を提起してもらいます。その後で「哲学ディベート」を行いますから、どのような論点から肯定あるいは否定するか、頭の中でよく整理しながら聴いてください。

**文学部A** それでは、発表いたします。

女性が社会に進出し、晩婚化が進むにつれて、いわゆる「高齢出産」が増えてきました。

医学的には、妊婦の年齢とともに胎児の染色体疾患の頻度が上昇することがわかっています。たとえば、ダウン症児が生まれる頻度（出生時）は、母体年齢が二〇歳で一四四〇分の一、三〇歳で九六〇分の一、四〇歳で八〇分の一、四五歳以上で三〇分の一に上昇します。

そこで注目されるようになったのが「出生前診断」です。

これまでは「出生前診断」といえば主として「羊水検査」を意味しました。この方法では、母体の腹壁と子宮筋を長い注射針で穿刺（せんし）して二〇ミリリットル程度の羊水を吸引し、その中にある胎児由来細胞の染色体を検査します。具体的には、超音波診断で胎児の位置を確認しながら穿刺するわけですが、胎児が動き回って針で傷つくようなケースもあり、「羊水検査」による流産のリスクは三〇〇分の一とされています。

ところが、調べてみて驚いたのですが、二〇一三年に始まった「新型出生前診断（NIPT：Non-Invasive Prenatal Testing）」では、母体から一〇ミリリットル程度を採血するだけで、胎児の染色体を検査できるのです！

この方法は、医療テクノロジーの急速な進歩により、母体の血中に含まれる極微細な胎児由来細胞から胎児のDNAを解析し、三種類の「染色体トリソミー」（通常よりも多い三本の染色体）を識別できるようになったために開発されました。その三種類のトリソミーとは、「21トリソミー（ダウン症）」「18トリソミー（エドワーズ症）」「13トリソミー（パトー症）」です。

日本医学会は、二〇二一年二月時点で、①三五歳以上の「高齢出産」である場合、②染色体疾患の子の出産歴がある場合、③超音波診断等で医師が異常所見を認めた場合などに限って、ＮＩＰＴ検査を国内一〇八の指定施設で承認しています。これらの施設では、そもそもＮＩＰＴを受けるべきか、「陰性」ではなく「陽性」や「判定保留」の結果が出た際にはどう対応すべきか、その後のカップルのメンタル・ケアまでを含めた「遺伝カウンセリング」を行っています。

ところが実際には、インターネットで予約すれば、誰でも簡単にＮＩＰＴを受けられるような無認可施設が増えています。私がネットで見つけたクリニックは、採血して五万円から一〇万円を支払えば、胎児の「染色体異常」に加えて、「性別」も一週間後に通知すると宣伝しています。

私が問題提起したいのは、このような「出生前診断を受けるべきか？」ということです。

**教授**　Aさん、どうもありがとう。実際に出生前診断を行っているクリニックの実情までよく調べて、わかりやすく発表してくれたね。

少し補足しておくと、新聞などではNIPTは「九九％以上の精度」と報道されているが、これは厳密に言うと、NIPTの結果が「陰性」であれば九九・九九％の確率で胎児にトリソミーがないことを意味する。つまり、NIPTで「21トリソミー陰性」であるにもかかわらず生まれる子どもがダウン症である「偽陰性」の可能性は、一万分の一程度だということだ。

一方、NIPTで「陽性」であっても、実際には妊婦の個人差によって「陽性的中率」が異なるため「羊水検査」などによる「確定検査」が必要不可欠になる。たとえば、仮にNIPTで「21トリソミー陽性」であっても、胎児が実際にダウン症である「陽性的中率」は、三五歳で八〇％、三八歳で八五％、四〇歳で九〇％と妊婦の年齢によって変化する。

したがって、もし三五歳の妊婦が無認可施設でＮＩＰＴを受けて「陽性」だったので慌てて人工中絶したとすると、その中には二〇％の確率で正常な胎児が含まれていることになる。このような事態を避けるために、日本医学会は徹底した「遺伝カウンセリング」を推奨しているわけだ。

さて、今も触れたように、現実問題としての「出生前診断」は「人工妊娠中絶」と密接にかかわっている。現在の先進国の多くでは、胎児はあくまで母体の一部であり、女性が自分の身体のことを自分で決めるのは当然の権利とみなされている。しかし、キリスト教原理主義のように、受精卵の時点で神が「人間の命」を与えており、人工中絶は胎児のすべての権利を剝奪(はくだつ)する「殺人」に相当する大きな罪だとみなす立場もある。

これまでの生命倫理学では、女性の自己決定権を重視する「プロ・チョイス」と胎児の人権を重視する「プロ・ライフ」の対極的見解を中心として論争が続いてきたが、そこに以前は想像もできなかった先進的な「出生前診断」が行われる事態が出現しているわけだ。

**法学部B**　僕は「出生前診断」は最先端医学が生み出したすばらしい成果だと思います。そして、妊娠した女性は、誰でも「出生前診断」を受ける権利があると思います。その最大の理由は、妊婦本人の「知る権利」にあります。

そもそも胎児は、妊婦の体内に存在するわけですから、その妊婦は、胎児に関して得られるすべての情報を「知る権利」があります。それは、僕らが健康診断で血液検査を受けたら、そこで得られるすべての情報を知る権利があるのとまったく同じことでしょう。したがって、妊婦の年齢や状況などでＮＩＰＴ検査に制限をかけるような考え方のほうが、むしろ妊婦の「知る権利」を侵害しているように思えます。

現在の日本の「母体保護法」では、母体の身体的あるいは経済的理由などにより、妊娠二二週未満の胎児の人工中絶手術が認められています。つまり、二二週未満の胎児は、法的には人間とみなされていません。極端な言い方をすると、二二週に達しない胎児は、法的には「母体に生じた腫瘍」と同じ扱いになっているわけです。

だからといって、「出生前診断」の結果によって人工中絶するかしないかは、妊娠した女性自身が決めることです。がん告知されても手術するかしないかは本人の判断に委ねられるように、「出生前診断」の結果をどのように判断するか、子どもを産むか産まないかは、あくまで妊婦本人が決めることだと思います。

**経済学部C**　私は、少なくとも日本医学会が承認するようなケースでは、妊婦は「出生前診断」を受けるべきだと思います。その理由は、胎児の情報を知ることによって「家族の心の準備」ができるからです。

実は、私には一二歳年下の妹がいるのですが、その妹を妊娠したとき母は四一歳でした。医師と相談して「羊水検査」を受けた母は、結果が「陰性」だと知らされ、心の底から安堵して出産に向けての心構えができたそうです。「羊水検査」を受けずに、出産するまでの一〇カ月間ずっと不安な気持ちのままでいたら、耐えきれなかったと言っていました。

もし検査結果が「陽性」だったらどうしたのかと聞いたら、産まない覚悟だったそうです。私の家では、父と母が共働きで、私と二歳下の弟を私立大学に通学させている状態なので、もし三人目の子どもに染色体疾患があれば、とても育てていくだけの余裕がありません。

もし無理して産んだとしても、どうして自分は姉と兄みたいに普通でないのか、なぜ検査で異常がわかっていたのに産んだのかと責められたら、その子どもに返す言葉がないと言っていました。

もちろん、いろいろな面で障害児のケアができるだけの経済的余裕があり、たとえば祖父母が面倒を見てくれるような恵まれた環境であれば、産む選択もあるかもしれません。しかし、もし疾患が重く病院から出られないような状況だったら、一番つらい思いをして苦労するのは、その子ども本人です。親の自己満足のために疾患のある子どもを産んだとしても、親のほうが先に死ぬのが普通ですから、その後に障害を抱えて生きなければならない子どもは、さらに苦労するでしょう。

ですから、私は、「出生前診断」で胎児に染色体疾患が確定的に発見されたら、人工中絶する判断も認められるべきだと考えます。

**理学部D**　僕がA子さんの発表を聴いて一番驚いたのは、母体から採血して胎児の「染色体異常」の有無ばかりでなく「性別」までも通知するような無認可施設が増えているということです。仮に男子を望んでいる妊婦は、胎児が女子だとわかったら中絶するということでしょうか？　これは明らかに「選択的中絶」を助長する構造だと思います。

さきほどB君は「知る権利」を主張していましたが、僕は「知りたくない権利」も尊重されるべきだと考えます。仮に将来、僕が結婚して愛する相手との間に子どもを授かったとしたら、その事実をありのまま受け入れて、出産してほしいと思います。

僕は、その子どもの性別が男子でも女子でも構わないし、もし何らかの疾患を抱えていたら、最善を尽くして治療してあげたい。その子は私の子であり、必ずその子なりの良さがあると信じるからです。もしパートナーがどうしてもＮＩＰＴ検査を受けたいと言えば一緒に考えますが、僕自身は相手に「出生前診断」を受けてほしくありません。

たとえば「知的障害」といっても個人差が大きく、知的発達に遅れが見られる一方で、通常の人間には稀(まれ)な才能を秘めている場合もあります。ノーベル文学賞受賞作家の大江健三郎氏は、長男の光(ひかり)さんが生まれたときに「脳瘤(のうりゅう)」と呼ばれる疾患のため知的障害があることを知って、絶望しかけたそうです。ところが、光さんが鳥の鳴き声を聞き分けていることを知って、音楽家を家庭教師に招いたところ、彼に「絶対音感」があることがわかります。今では光さんは、作曲家として大活躍しています。

最近では、ダウン症のために入退院を繰り返し、白血病治療や脊椎固定手術など三〇以上の手術を受けてきた一七歳のケネディ・ガルシアさんがアメリカのトップブランドのモデルとなって活躍し、大きなニュースになっています。

つまり、「先天性疾患」は、「障害」というよりも、一種の「個性」とみなすこともできるわけです。現代の先進国は、障害のある人々を差別あるいは排除するのではなく、多様な人々を受け入れる方向に向かっています。僕は、それに逆行するような選択をもたらす行き過ぎた「出生前診断」には、とても賛成できません。

**医学部E**　僕は、医学部二年次の「早期体験実習」で新生児内科に配属されました。疾患を抱えて生まれてきた赤ちゃんをたくさん見て、本当にいろいろと考えさせられて、とても「出生前診断」の是非を一言では言い尽くせません。ただ、そこで強く印象に残っているのが、「トリソミーを抱えて生まれてきた赤ちゃんは、それだけ生命力が強いんだよ」というドクターの言葉でした。

そもそも胎児の染色体疾患は、それほど珍しいものではありません。受精卵の一〇～二〇％の割合で存在するといわれていますが、その大部分は流産や死産となります。たとえば三五歳の妊婦の胎児がダウン症である頻度は、一〇週目（絨毛検査時）で一九〇分の一、一六週目（羊水検査時）で二五〇分の一、分娩時で三四〇分の一と下がっていきます。これは、妊娠中にダウン症児が流産や死産で亡くなっていくため、頻度に大きな差が出てくるからです。

逆に言えば、ダウン症を抱えていながらこの世に生まれてきた赤ちゃんは、「それだけ生命力が強い」ばかりでなく、医療現場にいると、何か大きな意味を持って誕生したのではないかとさえ思えてくるのです。

僕もD君と同じように、最近の安易な「出生前診断」の流行には危機感を持っています。すでに日本でも始めているクリニックがあるようですが、アメリカでは、1番～22番染色体および性染色体すべてのスクリーニングが行われています。つまり、胎児の全染色体の「全領域部分欠失・重複疾患」の有無を簡単に血液で検査できるわけです。

その次の段階に登場するのは、「出生前診断」を超えた「出生前治療」でしょう。実際二〇一八年一一月、中国でゲノム編集を施した受精卵からＨＩＶ耐性のある双子が誕生していますが、これが「デザイナー・ベビー」の始まりになるのではないかと、大きな論争を巻き起こしています。

もし受精卵の段階でヒトのゲノム編集を行ってよいことになれば、さまざまな遺伝病を治療できるばかりではなく、同じ方法で、子どもの身長を高くするとか、筋力を増強するようなことも可能になります。先端技術が異常なほど早く進み過ぎて、それをどのように考えればよいのかという生命倫理学が追い付いていないのが医療の現状だと思います。

## 第1章1　一緒に考えてみよう

1　読者は、文学部Aの発表と教授の補足を基盤として、法学部B・経済学部C・理学部D・医学部Eの中では、誰の見解に最も賛同しますか？

2　それはなぜですか？　読者は、どのような価値観に最も共感したのでしょうか？

3　仮に読者が妊娠したカップルの一人だとして、「出生前診断」を受けますか（あるいは、パートナーに勧めますか）？

## 2　生まれてこないほうがよかったのか？

**教授**　「出生前診断を受けるべきか？」という問題に対する皆の見解を聞いて、発表者のAさんは、どう思いましたか？

**文学部A**　私が「出生前診断」について調べてみようと思ったきっかけは、以前、家庭教師のバイトのために通っていた家庭に障害のある子どもがいたことです。

今から三年前になりますが、私が大学一年の頃、中学三年のX君に英語を教えていました。ある日、彼の部屋で勉強を見ていたら、突然、小さな男の子が大声で叫びながら部屋に突入してきたのです。

X君は、「どうしたのター君、心配しなくて大丈夫だよ」と男の子を抱きかかえて、部屋から連れ出しました。戻ってくると、「ビックリさせてごめんなさい。ター君は僕の弟です。重度のダウン症で、知的障害に加えて視覚にも障害があるんだけど、いい子なんだよ」と言いました。お兄さんらしい、しっかりとした姿でした。

でも、英語のテキストにロサンゼルスのディズニーランドの話が出てきたとき、「僕はアメリカなんて一生行けないな」と、ため息をつきながら呟いたことがあります。理由を尋ねたら、「だって僕は、ター君の面倒を見なきゃならないから……」と答えました。X君には妹もいるのですが、仕事で忙しいご両親は、「兄と妹の二人でター君の面倒を見てあげてね」と頼んでいたようです。

その翌年、X君は第一志望の高校に合格したので、私の家庭教師のバイトも終わりました。ところが、その彼が、高校二年の夏休みに行方不明になったのです！　警察から電話があって、もしかして私に連絡はなかったかと聞かれた際に教えてもらったのですが、X君は貯金を全部引き出して、衣服や所持品もスーツケースに詰めて、覚悟の家出をしていました。

家出の数日前、彼は「障害者の弟の面倒を一生見るのは嫌だ」と言って、両親と大喧嘩になったそうです。あれほど弟思いだったX君も、思春期を迎えて、自分だけの自由な時間がほしくなったのかなと思いました。

　彼の家庭は、すべてがター君を中心に動いていましたから、家族で旅行に行くとか、一緒にレストランで食事するとか、普通の家族ならごく日常的に思える出来事が、ほとんどなかったようです。X君は、日本のディズニーランドにさえ行ったことがなかったはずです。すごく真面目な子でしたから、ずっと思い詰めていて、それが一気に爆発したのではないでしょうか。

　それから一週間くらいして、彼が九州で保護されたと連絡が来て、ホッとしました。その後、X君は、オーストラリアの高校に留学しています。彼は自由な生活を満喫しているかもしれませんが、今では、彼の妹さんが全面的にター君の世話をしているはずです。

　それまで私は、授かった赤ちゃんは、どんなことがあっても産むべきだと思っていましたが、ター君一人のために両親と兄妹の四人が振り回されている光景を見て、重度の障害を抱えた子どもを育てることがどれだけ大変なことか、本当に安易な気持ちで判断するわけにはいかないと考えるようになりました。

　もちろん、自分が実際に妊娠してみなければわからない面もありますが、今の私は、妊娠したら「出生前診断」を受けるつもりです。そして、もし胎児に「染色体異常」が確定的に発見されたら、人工中絶する可能性も高いと思います。

**教授**　重度のダウン症の場合、身体が二〇歳、三〇歳と大人になっていっても、知的能力は二歳程度のままで、自分で排泄（はいせつ）や入浴ができないケースもある。彼らをどのようにケアしていくべきか、家庭ばかりでなく、社会全体で考えていかなければならない問題だね。

少し別の視点から考えてみよう。これは哲学の「幸福論」で議論されることのある論点なんだが、君たちの人生は、さまざまな出来事の積み重ねで構成されているよね。そこで、これまでの人生を振り返ってみてほしい。楽しかったこと・嬉しかったこと・喜んだことなど「ポジティブ」な出来事と、悲しかったこと・苦しかったこと・嫌だったことなど「ネガティブ」な出来事をおおまかに分けると、そのどちらが多かったか？

次に、その「ポジティブ」と「ネガティブ」を足したら、どうなる？「ポジティブ」が多ければ「プラス」、「ネガティブ」が多ければ「マイナス」になるはずだけど、どうだろう？

**学生**　（全員が「プラス」に挙手）

**教授**　ここにいる五人は、全員が「プラス」だということだね。もちろん、そうだろう。君たちは、先進国の充実した衣食住の下で安全に生活し、大学で学び、友人がいて、恋人と遊びに行くこともできる。世界レベルから見れば、非常に恵まれた立場にいるわけだ。

しかし、実は、現在の地球上で生きている約七九億人のうち、七億人以上が飢餓や栄養失調で苦しんでいる。驚くべきことに、世界では、毎日二万五〇〇〇人以上が「餓死」している！

そもそも「人間は苦悩するために存在している」という思想があってね。その萌芽は、原始仏教などにも見られるが、とくに明確な「厭世哲学」を打ち立てたことで知られるのが、生涯を孤独に犬と暮らしたドイツの哲学者アルトゥル・ショーペンハウアーだった。

彼が一八一九年に発表した代表作『意志と表象としての世界』によれば、世界は「私」の表象であり、その根底は「盲目的意志」に支配されている。この「盲目的意志」は、飽きることなく永遠の欲望を抱き続けるため、人間は苦悩の連続に陥らざるをえない。

人間は、いくら若くありたいと願っても、年老いていく。いくら健康でありたいと願っても、いつかは病気に冒(おか)される。いくら生きていたいと願っても、最後には必ず死ぬ。人間の生涯には、もちろん「ポジティブ」な出来事もあれば「ネガティブ」な出来事もあるが、トータルでは必ずマイナスになるのではないか?

この考え方を徹底して推し進めたのが、南アフリカにあるケープタウン大学の哲学者デイヴィッド・ベネターだ。彼は、二〇〇六年に『生まれてこないほうが良かった』という著作を発表して「反出生主義」を主張した。

彼の論法によれば、「存在」することは必然的に「マイナス」を導くので、「プラスマイナス・ゼロ」の「非存在」よりも劣ることになる。つまり、「存在することは害悪」であり、しかも「絶対的に害悪」だというわけだ。彼は、次のように述べている。

「善良な親は、自分の子どもが苦しまないように、あらゆる手を尽くそうとする。しかし、その子どもをすべての苦しみから救う唯一の確実な方法は、最初からその子どもを産まないことではないか。なぜ善良な人々は、それに気が付かないのか……」

多くの動物は、本能的な性衝動によって繁殖する。さらに人間は、父母性本能や家系継続の社会的欲求、あるいは老後の面倒を見てもらう計算などに基づいて、子どもを生み育てる。しかし、ベネターによれば、それらは生まれてくる子どもに「害悪」をもたらす親のエゴイズムであり、反道徳的行為に他ならない。

ベネターは、地球上の理想の人口は「ゼロ」であり、感覚器官を有するあらゆる生命も「絶滅」するほうがよいと主張する。ただし、すでに生まれてしまった人間は「手遅れ」なので、段階的に人口を減らして、最終的に絶滅すべきだと結論付けている。

**法学部B**　ベネターの「反出生主義」は、『知性の限界』に登場する一九世紀のドイツの哲学者エドゥアルト・フォン・ハルトマンの発想にそっくりではありませんか?

ハルトマンは、ショーペンハウアーの思想を受け継いで、人間は「宇宙的無意識」に支配され、その無意識が三つの欲望を人間に抱かせると考えました。それは、①人間は現世で幸福になる、②人間は来世で幸福になる、③科学の発展によって人間世界は改善されている、という欲望です。

ハルトマンは、これら三つの欲望がいかに「幻想」にすぎないか、丹念に立証します。たとえば、現世で人類が最も成功を成し遂げたローマ帝国の崩壊がいかに歴史的に悲惨な結果をもたらしたか、来世の存在がどれだけ科学的に信頼に値しないものか、その科学がもたらす大量破壊兵器がどれだけの人間を殺戮し地球にダメージを与えたのか……。

こんな世界で生きていく必要があるのか、むしろ人間は自殺するほうがよいのではないか、と彼は考えます。しかし、個人が自殺しても、本質的な問題は解決しません。というのは、人間は苦悩するために存在しているのであり、絶滅するに越したことはないのですが、仮に全人類が自殺したとしても、数億年もすれば、再び「宇宙的無意識」は新たな人間を地球上に生み出して、彼らが再び苦しまなければなりません。

さらに、仮に地球を破壊したとしても、「宇宙的無意識」はどこか別の惑星上に「盲目的意志」に支配される別の知的生命を生み出し、彼らが人間と似たような苦悩を背負わなければならないのです。

そこで、ハルトマンは、人類があらゆる知識をもって「宇宙的無意識」を「宇宙的意識」に進化させ、宇宙が二度と生命を生み出したりしないように、絶対的に宇宙そのものを消滅させる方法を見つけるべきだと考えます。つまり、二度と「存在の悲劇」が繰り返されないように、宇宙を永遠に消滅させることが何よりも大事だというわけです。

**経済学部C**　個々の人間が自殺しても何にもならないけど、宇宙自身が自殺して消滅すればよいというお話……。スケールがすごく大きくて、SFとしてはおもしろい話かもとは思います。

でも、現実の社会では、人間は夢を抱いて、これからも子どもを生み続け、その子どもたちに希望を託していくと思います。私は、ポジティブとネガティブで計算したら、今でも圧倒的にポジティブが多いと信じているし、いつか臨終を迎える瞬間にも、トータルがプラスのままでいる予定です。そう思い込みさえすれば、私は人生に勝つことができるわけでしょう?

ところで、A子と一緒に私も調べてみたんですが、「新型出生前診断」などの遺伝学的検査に加えて、高性能の精密超音波診断による形態学的検査により、胎児の一〇〇種類以上の先天性異常を発見するという「出生前診断クリニック」をネットで見つけました。

院長の夫律子（ふうりつこ）氏は、徳島大学医学部卒業の産婦人科医ですが、その前に慶應義塾大学法学部を卒業しています。そもそも法律を勉強しているうちに生命倫理に興味を持ち、そこから医学の道に進んだという経歴の持ち主です。

実際に「出生前診断」を実施してきた立場から、夫氏は、次のように述べています。

「『そんなに早く診断できるようになると人工妊娠中絶が増えるのではないですか？』という質問をよく受ける。診断とその後の治療の可能性や予後について小児専門医を交えた説明を繰り返していると、もちろん疾病の種類などにもよるが、妊娠の継続を決心されるご両親は決して少なくない」

「私は、産科医が『正確かつ客観的な診断』にもとづいて『診断の正確な知識と情報』を提供し、児の治療スタッフとともに『適切な心理サポート』を行っていく過程では、決して人工妊娠中絶を増加させることはないと信じている」

「どちらかといえば不正確な診断、つまり『〝かもしれない〟診断』の方が過度の不安をもたらし、不必要な中絶を増加させているのではないかと考えている」

「おなかの中の赤ちゃんに病気があることを知った上で妊娠の継続を決心されるご両親

が、深い理解と大きな覚悟をもって出産にのぞむことになるのはいうまでもない。しかし、人工妊娠中絶を決意されるご両親にも、計り知れない苦悩と罪悪感があり、やはり覚悟をもって決心される」

「外来で診察していると、簡単に『赤ちゃんに病気があるなら妊娠を中断します』と答えを出すご両親はほとんどおられない。何度も外来を訪れ、涙を流し、インターネットに助けを求め、患者・家族の会にアプローチされる場合もある」

「その上で『妊娠を中断したい』と申し出られたときには、医療サイドはその決断を尊重し心して受けとめ、ご両親をケアサポートしていかなければならないのではないだろうか」

ゆくゆくは、精密な「出生前診断」に加えて、「出生前治療」ができるようになるかもしれません。私たちが追求すべきなのは、「生まれてこないほうがよかった」という子どもを一人でも減らし、「生まれてきてよかった」という子どもを一人でも増やすことだと思います。

**理学部D**　僕には、ハルトマンやベネターの議論は、幼稚な「机上の空論」に聞こえますね。というのは、彼らの哲学は、今現実に生きている人間には何の役にも立たないからです。

そもそも「出生前診断」の最大の問題は、仮に「21トリソミー」で「ダウン症」であることが判明したとしても、その新生児の障害のレベルが、軽度なのか重度なのかがわからない点にあります。

以前の「哲学ディベート」のセミナーで議論になった「二分脊椎症」の新生児は、脊椎の癒合が行われないままに生まれてくるため、さまざまな神経障害を持つ可能性がありますが、どの部分にどの程度の麻痺が生じるか、誕生時には不明です。

新生児の段階で救うためには、脊椎矯正手術を行い、脳と脊椎を結ぶシャントを据え付けなければなりません。このような外科手術を施さなければ、新生児は死亡します。そこで新生児の「二分脊椎症」が判明すると、医師は、両親に手術を勧めるか勧めないかの判断を迫られます。一九七三年、カリフォルニア大学ロサンゼルス校医学部で小児外科を専門とするアンソニー・ショー教授は、その判断基準として、現実的要因を数値化して代入し、新生児の「生命の質」を見出すための「新生児QOL公式」を定式化しました。

この公式によれば、「QOL＝NE×(H＋S)」と表されます。ここで、QOLは「生きた場合に子どもがもつ生活の質」、NEは「子どもの知的・身体的な生まれながらの資質」、Hは「両親の結婚の情緒的安定度・両親の教育レベル・両親の財産に基づいて、子どもが家族から得られる支援」、Sは「子どもが地域社会から得られる社会的支援」を意味します。

ショー教授の理論を採用しているアメリカの病院では、医師・看護師・作業療法士・理学療法士・社会福祉士・心理学者がチームで家族を調査したうえで「新生児QOL公式」に数値を当てはめ、点数の高かった新生児の家族には手術を勧め、低かった家族には手術を勧めていません。

この公式は、逆に見ると、①新生児の出生時の障害が重いほど、②両親の精神的・経済的支援が望めないほど、③社会保障や支援が望めないほど、点数が低くなる仕組みになっています。

それでなくとも障害のある子どもが生きていくのは大変なのに、「新生児QOL公式」

の点数が低いということは、さらに両親や社会からの支援も望めないことを意味します。その場合に手術を行わずに新生児に「安楽死」を施すことは、冷たい決断のように映るかもしれませんが、トータルで考えたら、家族と社会全体にプラスをもたらす方法だと僕は思います。

**医学部E**　D君の意見も合理的だとは思うんだけど、僕はショー教授の「新生児QOL公式」をそこまで信頼はできません。なぜなら、手術を施さないことによって、すばらしい将来のある人間を排除してしまう可能性があるからです。

　もし僕が小児外科医の立場だったら、「二分脊椎症」で生まれてきたすべての新生児に手術を施すと思います。なぜなら、それが医師の仕事であって、それ以外の「生活の質」の選択にかかわる哲学的な議論に医師が関与すべきではないと思うからです。

　僕は、新生児内科で遭遇した先天性の「食道閉鎖症」と「口唇口蓋裂（こうしんこうがいれつ）」の疾患を持って生まれてきた新生児のことが忘れられません。

　先天性「食道閉鎖症」とは、生まれつき食道が途中で途切れている病気で、約五〇〇〇人に一人の割合で発症します。何も飲めない状態で「誤嚥性肺炎」を合併しやすいので、早期治療が求められます。

「口唇裂」とは上唇が裂けている状態、「口蓋裂」とは口腔と鼻腔を隔てる上顎が裂けて、口と鼻の中が繋がっている状態です。「口唇口蓋裂」は、その両方が重なっている状態なので、重症といえば重症なのですが、現在では、形成外科で何度か手術を繰り返せば、機能的にはもちろん、外見的にもほぼ完全に治療することができます。

主治医は、新生児の両親に詳しく病状の説明をして、「手術承諾書」に署名捺印を求めました。ところが、両親は、赤ちゃんの顔を見た瞬間、「受け入れられない」と顔面蒼白になって、どちらの手術も拒否しました。

新生児には点滴が入れられていますから、最低限の水分は体内に補給されます。しかし、ミルクを一滴も飲むことができない状態なので、身体機能は徐々に衰えていきます。産科の主治医は、形成外科の医師も交えて両親を懸命に説得しましたが、二人の態度は変わりません。新生児の祖父母に当たる家族も来院しましたが、赤ちゃんの顔を見るなり、帰ってしまいました。

とにかく時間がないので、主治医は、県の児童相談所に連絡しました。「児童福祉司」が病院に来て、両親と話し合ってくれたのですが、結果は変わりません。主治医は、両親の目の前で警察に連絡して、その両親の「親権」を制限してもらえないかと頼みました。両親は新生児の養育を放棄しているわけですから、もし数日間でも「親権」を止めることができれば、その間に手術ができるからです。

しかし、「親権」を一時的にでも停止させるためには、家庭裁判所の保全処分が必要で、しかも警察は「民事不介入」なので、このようなケースには対応できないということでした。「新生児」の手術には、どうしても両親の同意が必要だというのが、日本の病院の慣行になっているのです。

実は、医師の中にさえ、難病の新生児は、むしろ生かすべきではないと考えている人もいます。しかし、僕の研修先のドクターは、何よりも人命を尊重していました。

そうこうしているうちに、病室の看護師から両親の姿が消えたという連絡が入りました。産科の母親の荷物もすべて持って、両親揃って病院から出て行ってしまったのです。看護師が両親の携帯電話に何度も連絡しましたが、まったく応答はありません。そして数日後、新生児は、死亡しました。
「反出生主義」のような考え方からすると、この新生児は「生まれてこないほうがよかった」のかもしれません。しかし、その子は、すでに生まれてきたという事実があります。僕は、医療現場では何よりも救命が優先されるべきだと考えていますから、その医療意識を少しでも混乱させるような考え方は、承服できません。

**教授**　「出生前診断を受けるべきか？」という問題から「生まれてこないほうがよかったのか？」という「反出生主義」の哲学的議論が抽出されました。非常に難しい問題ですが、この哲学ディベートを契機として、改めて君たち自身で考えてみてください。

## 第1章2　一緒に考えてみよう

1　読者は、**文学部A**の発表と**教授**の補足を基盤として、**法学部B・経済学部C・理学部D・医学部E**の中では、誰の見解に最も賛同しますか？

2　それはなぜですか？　読者は、どのような価値観に最も共感したのでしょうか？

3　読者は「反出生主義」について、どのように考えますか？

# 第2章 英語教育と英語公用語論

## 1　英語の早期教育は必要か？

**教授**　本日のセミナーを始めます。テーマは「英語教育の選択」です。

インターネットによるグローバル化が飛躍的に進んでいる現代社会において、事実上「世界の公用語」とみなされる「英語」の重要性が高まっています。日本では、英語の公立小学校における早期教育が開始されましたが、それには賛否両論があります。

今日は、これからB君に「英語の早期教育は必要か?」という問題を提起してもらいます。その後で「哲学ディベート」を行いますから、どのような論点から肯定あるいは否定するか、頭の中でよく整理しながら聴いてください。

**法学部B**　それでは、発表いたします。

二〇二〇年四月から日本全国の公立小学校で英語教育が始まりました。これまで中学校でスタートした「教科」としての「英語」が、小学五年生から始まり、年間七〇コマの授業で成績が評価されます。また、これまで五・六年生が楽しんで英語に触れていた年間三五コマの「外国語活動」は、三・四年次に早めて実施されることになりました。この英語教育方針の大幅な変更は、将来どんな結果をもたらすのでしょうか?

そもそも二〇一一年から始まった「聞く・話す」を中心とする「外国語活動」は、「英語嫌い」が増えないように、小学生の頃から英語に楽しんで触れることを目的に導入されました。子どもたちはゲームやダンスなどを通して「遊びのようにして英語に親しむ」わけですが、実際には「遊び」だけでは「読む・書く」英語力は向上しません。

そこで「教科」としての「小学校英語」が導入されたのですが、今度は「教科」として成績を評価されるのが嫌だという「英語嫌い」が増えるのではないでしょうか? それでは、本末転倒になってしまうようにも思います。

ここで大きな問題になるのは、誰が「小学校英語」を教えるのかということです。英語が苦手な小学校教員が教えるよりも、ネイティブ・スピーカーが教えるほうがよいに決まっています。しかし、地方自治体には、その財政的余裕がありません。さらに調べてみて驚いたのですが、文部科学省は英語の早期教育を推進しているにもかかわらず、財務省は「有効性が立証されていない」という理由によって、「小学校英語」に対する「予算」配分を渋っているのが現状です。

結果的に、英語が苦手な小学校教員が教える状況が続き、ますます「有効性」が立証されずに「予算」も付かないというジレンマ状態が続いているわけです。

もっと驚いたのは、公立中学生に対する二つの「ランダム化比較実験」の結果、一つのモデルでは「小学校英語」の経験者と非経験者の間に英語力の有意差が認められず、もう一つのモデルでは「微弱な有意差」が認められたものの、その差は偏差値一～二程度に過ぎないという結果です。

「小学校英語」の導入には、教員の配置・研修や教材・カリキュラムの整備など、莫大なコストがかかっています。ところが、そのコストに対して「小学校英語」の有効性は偏差値一～二程度に過ぎないというのであれば、無理に「小学校英語」を進めること自体、大きな無駄なのではないでしょうか？

僕が問題提起したいのは、このような「英語の早期教育は必要か？」ということです。

**教授**　B君、どうもありがとう。日本全国の公立小学校で実施されている英語教育の実情をよく調べて、わかりやすく発表してくれたね。

少し補足しておくと、現在実施されている「小学校英語」は、実は文科省ではなく、総理官邸の主導によって政治的に実現したものだった。

二〇一二年一二月二六日、安倍晋三氏が総理大臣に就任して、第二次安倍内閣が発足した。さて、二〇一三年四月二五日、文科省の中央教育審議会が「第二期教育振興基本計画について」を答申したが、そこには「小学校英語」に関する提言も審議報告のようなものも、まったくなかった。

ところが、二〇一三年六月一四日に閣議決定された「第二期教育振興基本計画」には、突然「小学校における英語教育実施学年の早期化、指導時間増、教科化、指導体制の在り方等」という提言が追加されていた！

閣議決定された以上、関係省庁は提言を実現しなければならない。文科省は「第二期教育振興基本計画」の具体化に着手し、二〇一三年一二月一三日に「グローバル化に対応した英語教育改革実施計画」を発表した。

　この計画書は、「初等中等教育段階からグローバル化に対応した教育環境づくりを進めるため、小学校における英語教育の拡充強化、中・高等学校における英語教育の高度化など、小・中・高等学校を通じた英語教育全体の抜本的充実を図る。２０２０年の東京オリンピック・パラリンピックを見据え、新たな英語教育が本格展開できるように、本計画に基づき体制整備等を含め２０１４年度から逐次改革を推進する」という文章で始まる。

　この計画書をよく読むと、「東京オリンピック・パラリンピック開催に合わせて２０２０年度から全面実施」「東京オリンピック・パラリンピックに向け、児童生徒の英語による日本文化の発信、国際交流・ボランティア活動等の取組を強化」「東京でオリンピック・パラリンピックが開催される２０２０年を一つのターゲットとして、我が国の歴史、伝統文化、国語に関する教育を推進」などと、七ページの中で五カ所も「東京オリンピック・パラリンピック」に言及している。

　要するに、「小学校英語」とは、「東京オリンピック・パラリンピック開催に合わせて」、急遽、策定された教育方針だったんだろう。そこで、大慌てで始まった「小学校英語」が現場に大きな混乱を招いているわけだが、一方では、これまで遅々として進まなかった英語の早期教育が実現したことを歓迎する見解もある。

**文学部A**　私は、「教科」として「小学校英語」を教えることに反対です。その理由は、必ずしもすべての小学校教諭が英語を教えるだけの資格や能力を有していないと考えるからです。

私は、「中学校教諭一種」と「高等学校教諭一種」の「教育職員免許状」を取得するために、大学で教職課程を履修しています。そもそも、日本で公立の中学校や高等学校の教諭になるためには、どの大学に在籍していようと、「教育職員免許法施行規則」に定められた教職課程を履修して、教員免許を取得しなければなりません。

「英語科」の中学校教員免許の場合、「教科及び教科の指導法に関する科目」二八単位、「教育の基礎的理解に関する科目」二七単位、「大学が独自に設定する科目」四単位の履修が必要です。これに加えて、教職課程全員必修の「日本国憲法」「外国語コミュニケーション」「体育」「情報機器の操作」および中学校教員必修の「特別支援教育」を履修し、一週間の「介護等体験」に参加する必要があります。

英語科の「教科及び教科の指導法に関する科目」群は、私の大学では「英語学」「英語文学」「英語コミュニケーション」「異文化理解」「英語科教育法」から構成され、英語に関する知識ばかりではなく、英語の具体的な教育方法を学びます。その集大成として、四年次に三週間、中学校で「教育実習」を行います。

それらを終えた後、大学卒業時に教員免許を取得できるわけですが、そのうえで公立中学校に採用されるためには、各都道府県・政令指定都市が実施する「教員採用候補者選考試験」にも合格しなければなりません。

つまり、日本の公立中学で英語を教えるためには、そこまで苦労して資格を得なければならないわけです。ところが、これまで中学で教えていた英語を小学校五・六年生で教えるようになったにもかかわらず、現在勤務している小学校教諭には、何の資格も要求されていません!

実は、私の叔母が公立小学校の教諭なのですが、これまで英語を教えたことはなく、大学は国文科出身で英語が苦手で、もちろん「英語科教育法」を学んだようなこともありません。それでも、学級担任だから担当するようにという通達があったそうで、泣く泣く、勤務時間外に自分で英語を勉強して授業に間に合わせているそうです。

英語の研修があったのではないかと尋ねたら、文科省は、都道府県の教育委員会が推薦する教員を集めて研修を行い、彼らが地域に戻って小学校の代表教員に研修内容を伝え、その代表教員が校内研修を行っただけでした。

**経済学部C**　つまり、一言で言えば「現場に丸投げ」ということね。

日本には公立小学校が二万校ほどあって、その三・四年生に「外国語活動」、五・六年生に「英語」を教えるとなると、「小学校英語」に関わる小学校教諭は、日本全国で数十万人を超えるはずです。

その先生たちに、大学の教職課程に匹敵するような英語教育も施さないまま、すでに児童に教えさせているという現状には、大きな問題があると思います。どうしてこんなに準備が不十分な状況で「小学校英語」が「見切り発車」してしまったのか、ずっと不思議に思っていたのですが、先生の説明を伺って、やっと何が起こったのかが見えてきました。

そもそも安倍元首相は、就任以来、「東京２０２０オリンピック・パラリンピック招致委員会」の最高顧問として、オリンピック・パラリンピック招致活動の先頭に立ってきました。本来は、開催都市が主導するはずのオリンピックなのに、安倍氏が異様なほど前面に出てきて、私は以前から違和感を抱いていました。

二〇一六年のリオデジャネイロ・オリンピックの閉会式で、安倍氏がゲーム・キャラクターの「マリオ」に扮して登場したときには、東京都知事でもない総理大臣・安倍氏の「浮かれた」軽薄な姿にビックリしました。

文科省の「東京オリンピック・パラリンピック開催に合わせて」という計画書から、「小学校英語」が安倍氏周辺主導の「浮かれた」副産物だったことがよくわかります。こんな思い付きのようなプランで、日本の子どもたちに対する大事な教育方針が変えられてよいのか、私は、根本的な危機感を抱きます。

とはいえ、小学校から英語を始めること自体には、私は賛成の立場です。私は国際線のキャビン・アテンダント（ＣＡ）を目指していて、高校時代はオーストラリアのシドニーに短期留学し、その後も機会がある度に海外旅行をしていますが、何といっても痛感するのが、英語の発音のマズさです。

　幼稚園から小学校にかけてネイティブ・スピーカーから英語を習っていた友人は、ほぼ完璧に英語を発音できます。この友人のように、幼少期から外国人に接していれば、言語としての英語を摑める（つか）だけではなく、英語圏の文化や考え方に触れることもできるでしょう。

　すでに「小学校英語」が始まってしまった以上、全国の小学校に優秀なネイティブ・スピーカーを配置して、とくにリスニングとスピーキングに力を入れた早期教育を実施すべきだと考えます。

　安倍政権は、ほとんど誰も使わないような「アベノマスク」を国民に配布するために莫大な国家予算を消費しました。そのような無駄使いを見直せば、ネイティブ・スピーカーの「予算」も計上できるはずだと思います。

**理学部D**　僕は、逆に、今すぐにでも「小学校英語」を全面的に廃止すべきだと考えます。
というのは、そもそも外国語は日常生活で使わない限り身に付かないので、英語を無理に小学校の「教科」にすること自体、大きな間違いだと思うからです。

さきほどA子さんが指摘していたように、現時点で「小学校英語」を教えている教員は、正式な英語教員資格を得ているわけではなく、彼らのカリキュラムの有効性には疑問があるし、適切な教科書を選択しているかどうかも不明です。もし彼らが間違った発音やアクセントを教えてしまうと、後で修正しなければならないため、中学や高校の教育に支障をきたします。

小学校の児童の立場からしても、教科としての「英語」には成績が付くことから、宿題や勉強量が増えるわけで、国語・算数・理科・社会のような基礎科目の勉強がおろそかになる可能性もあります。「英語」の成績が悪かった児童は、小学校五・六年生の時点で「英語嫌い」になるかもしれません。

そもそも、大多数の日本人にとって大事なのは「読む・書く」英語であって、「聞く・話す」英語ではないと思います。僕は大学院進学志望ですから、文献を調べる際にも、専門論文を書く際にも、英語を使わなければならないことは、よく理解しています。しかし、そこで必要な英語は、これまでのように中学校から始めれば十分で、高校や大学の入試にしても、語彙や文法を中心にした読解力中心の試験のままでよいと考えます。

ただし、C子さんのように国際線で活躍したい人、楽天やファーストリテイリングのように英語を社内公用語にする多国籍企業を目指す人が、英語のコミュニケーション力を伸ばすことのできるような仕組みも必要だとは思います。

そこで、小学校の高学年では、コミュニケーションとしての英語を学びたい児童のために、「英語」を全員の「必修」ではなく、「選択」できるようなカリキュラムは組めないものでしょうか？　それと同時に、たとえば「数学」の優れた児童のために中学・高校レベルの数学を教える科目も選択できればよいのではないかと思います。

**医学部E**　僕も、その点では、D君に賛成します。日本の公立小学校では、ほとんどすべての科目が「必修」で、非常に画一化されたカリキュラムが組まれています。

しかし、実際には小学校の時点で、数学や物理学といった特定分野に秀でた児童も存在するので、そのような子どもの能力と個性を伸ばす方向に教育をシフトさせるべきだと思います。もっと海外のように「飛び級」を認めてもよいのではないでしょうか。

「小学校英語」について、僕は、むしろこの機会に、もっと徹底した英語教育を行うようにすればよいのではないかと思います。ただし、そのためには、すでにC子さんが指摘しているように、優秀なネイティブ・スピーカーを採用する必要があるでしょう。

さらに、中学や高校の英語の教員免許を持つ人を、特例的に小学校の英語専門教員として雇用するとか、海外勤務していた定年退職者に非常勤で教えてもらうとか、日本には英語の得意な人も多いので、もっと小学校教育に参加してもらえばよいと思います。

少し調べてみたのですが、二〇一六年に「世界経済フォーラム(World Economic Forum)」が発表した「世界で最も強力な言語(The most powerful languages in the world)」というランキングによれば、英語が圧倒的に「世界第一位」でした。

このランキングは、①地理(Geography)、②経済(Economy)、③コミュケーション(Communication)、④知識・メディア(Knowledge and media)、⑤外交(Diplomacy)の五つの観点から世界の言語を数値化したものですが、そのすべてで英語は第一位でした。ちなみに、総合第二位は母語人口の多い中国語ですが、「外交」で使われる中国語は世界第六位というように、大きく差が開いています。

つまり、今後のグローバル化社会で日本人が生き抜いていくためには、どうしても英語というコミュニケーション・ツールが不可欠と考えられます。ところが、世界と比較すると、日本の英語教育開始年齢は、遅めなのです。

二〇一一年から二〇一二年にかけて、イギリスの国際文化交流機関「ブリティッシュ・カウンシル」が世界の六四カ国を対象に行った調査の結果、フランス・イタリア・スペインなどのヨーロッパ諸国や、アジア圏周辺でも中国・ロシア・インドなどでは、小学校一・二年レベルから、英語教育を開始しています。

日本は島国で、極端にいえば、生まれてから死ぬまで外国人と英語で話すことが一度もないような人がいます。しかし、地理的に隣国と繋がっている世界の国々では、双方の公用語として「英語」を使用せざるをえません。そのため、小学校低学年から、しかも日本よりも授業時間数をかけて、英語教育を行っているわけです。その意味で、日本の英語教育は、中途半端なように感じます。

二〇二一年三月時点で、インターネットの一〇〇〇万を超える情報コンテンツを調査した結果、六〇・六%が英語で書かれているという資料もあります。第二位のロシア語が八・三％、第三位のトルコ語が三・八％と続き、日本語は二・一％で第八位に過ぎません。

つまり、世界の情報の六〇％は英語、二％が日本語なのですから、日本語ばかりで情報を処理していたら、世界から取り残されてしまうことは明らかでしょう。現実問題として、英語は世界の「公用語」なのですから、これからの日本人は、誰もが自在に「読む・書く・聞く・話す」の四技能を使えるようになるべきだと思います。

## 第2章1　一緒に考えてみよう

1　読者は、法学部Bの発表と教授の補足を基盤として、文学部A・経済学部C・理学部D・医学部Eの中では、誰の見解に最も賛同しますか？

2　それはなぜですか？　読者は、どのような価値観に最も共感したのでしょうか？

3　読者は、いつから、どのような内容の英語を学習するべきだと考えますか？

## 2　英語を公用語にするべきか？

**教授**　「英語の早期教育は必要か？」という問題に対する皆の見解を聞いて、発表者のB君は、どう思いましたか？

**法学部B**　僕が「英語の早期教育」について調べてみようと思ったきっかけは、日本の英語教育そのものに大きな疑問を抱いていることにあります。

僕は、小学校の頃は勉強嫌いでサッカーばかりやっていましたから、塾にも行かず、公立中学校の授業で初めて英語に触れました。その後、英語を勉強したのは、高校受験のためであり、また大学受験のためであって、英語の学習自体を楽しいと思ったことは、ほとんどありません。大学入学後も、一・二年次の教養課程で英語の授業がありましたから、考えてみれば中学・高校・大学の八年間を英語に費やしたことになります。

それで、どれだけ英語ができるようになったかというと、先日NHKの放送センターの側を歩いていたら外国人から渋谷駅への道を聞かれて、マトモに答えられなかった。スーパーマーケットで売り場がわからなくて困っていた外国人の女性に話しかけられたときも、早口で何を言っているのか聞き取れなくて、何度聞き返してもわからなかった。せっかくモデルみたいな金髪の美人に話しかけられたのに、ガッカリしましたよ。

改めて八年間も何をやってきたのか考えてみると、「時制の一致」とか「仮定法過去完了」とか、重箱の隅をつつくような文法問題とか長文読解問題を解くための受験テクニックを磨いてきただけです。仮にこれまでの八年間に英語に費やした時間を別のことに使っていたら、どうなっていたか？

あれだけの時間を使ってピアノを練習していたら、今頃はどんな曲でも弾けるようになっていたかもしれないし、スケートボードをやっていたら、オリンピックに出場できたかもしれない。そう思うと、僕の受けてきた英語教育そのものが膨大な無駄のように思えるんですね。今では「外国法」の授業で判例を読むときぐらいしか英語を使わないので、受験で丸暗記したボキャブラリーも忘れてしまったし、コミュニケーションはまったくできません。

その英語をなぜ日本人全員が小学校から必修でやらなければならないのか？　いろいろと調べてみると、日本では英語を「公用語(official language)」にしようとする歴史的な動きがあることがわかりました。これは日本だけではなく世界的な動きで、「英語帝国主義」として批判されることもあるようです。この問題について、いずれ詳しく文献を調査してみたくなりました。

**教授**　それは興味深い問題だから、ぜひ調べてみるといいね。少しだけヒントを言っておくかな……。

そもそも日本で最初に「英語公用語論」を唱えたのは、初代の文部大臣・森有礼（ありのり）だった。彼は「薩摩藩第一次英国留学生」としてイギリスに留学し、明治政府の外交官となってアメリカに赴任した。そこで彼は、アメリカの有識者に日本の教育について意見を求め、一八七三年に著書『Education in Japan』を英文で発表した。

その中で彼は、日本は日本語を廃止して英語を公用語にしなければ、世界の商業社会から取り残されてしまうと危機感を主張したんだが、時代を先取りしすぎたためか、当時はまったく受け入れられなかった。今では、森氏に大変な「先見の明」があったと高く評価する見解もあるがね。結果的に彼は、国粋主義者の暴漢に襲われ、脇腹を刺されて四一歳の若さで亡くなった。

第二次大戦後、日本を占領した「連合国軍総司令部(GHQ)」の要請により、「アメリカ教育使節団」が派遣された。この使節団は、アメリカの大学教授や各州の教育委員ら二七人の教育専門家で構成され、どうすれば日本に民主主義教育を根付かせることができるかを検討した。

彼らは、一九四六年三月に「アメリカ教育使節団報告書」をGHQに提出し、その方針に基づいて一九四七年三月に「教育基本法」と「学校教育法」が制定された。ここで日本の教育の「機会均等」「男女共学」「小学校六年・中学校三年の義務教育」「教育委員会方式」といった、現代にいたる教育制度の根本方針が定められたわけだ。

さて、実はこの報告書には、日本語の漢字を廃止してローマ字表記にすべきだという提言が織り込まれていてね。「いまこそ、国語改革のこの記念すべき第一歩を踏み出す絶好の機会」であり、「ローマ字は民主主義的市民精神と国際的理解の成長に大いに役立つ」と主張している。

日本語は五一字の「ひらがな(カタカナ)」と二〇〇〇字以上の「漢字」から成り立っているが、ローマ字表記ならば「アルファベット」二六文字ですべてを表現できるだろう? 外国人でも読むことができるし、タイプライターがあれば即座に印字できるから、意思疎通に便利だし、効率的だとみなされたわけだ。

この使節団は、そもそも難解な漢字を読めるのは一部の知識人だけで、大多数の日本人は「ひらがな(カタカナ)」で意思疎通をしているに違いないと考えていた。そこで彼らは、一九四八年八月、全国から一五~六四歳の男女約一万七〇〇〇人を無作為抽出して、日本人の識字率を調査した。現代のようにコンピュータは存在せず、電卓さえなかった時代だから、手作業で大変な調査だったと思うがね。

調査に使われたのは、「ひらがな・カタカナ・漢字・数字の読み書き」や「文章読解力」など日本語能力を問う問題九〇問。その結果、全体平均は一〇〇点満点に換算して七八点と驚くほど高く、非識字者はたった二・一%にすぎなかった。この数値は、当時の世界各国の非識字率と比べても著しく低く、アメリカ教育使節団の想定は完全に覆された。これによって、日本人が信じ難いほど高い日本語能力を持っていることが明らかになったから、「漢字廃止」と「ローマ字表記」の議論は消え去った。

近年では、総理大臣・小渕恵三氏の私的諮問機関「『21世紀日本の構想』懇談会」が二〇〇〇年一月に「日本のフロンティアは日本の中にある」という報告書を発表し、その中に英語の「第二公用語化」という構想が出ている。

こちらは、「第一公用語」の日本語は大切にしながら、さらに英語を「第二公用語」として法制化してその地位を押し上げ、日本人の英語能力を高めるべきだという論法だ。この論法は、今でも政策論争や教育論争といった何らかのキッカケがある度に議論に登場してくるようだね。

**文学部A**　私は「日本近代文学史」の授業を受けていて、小説家の志賀直哉が終戦直後の一九四六年に雑誌『改造』に随筆を発表し、日本語を廃止してフランス語を公用語にすべきだと主張したというエピソードを聴いて、ビックリしたことがあります。

「小説の神様」と呼ばれるほど日本語を大切にしていた志賀が、「世界で最も美しい言語はフランス語」だからという理由で、しかも本人はフランス語をまったく読み書きできないにもかかわらず、フランス語の発音のイメージだけから「美しい」と主張したそうで、とても不思議に感じました。もしかすると、戦争で荒廃した日本を立て直すには、それくらい徹底した変革が必要だと考えたのかもしれませんが、現実にはとても無理な話だと思います。

そもそも日本人の「母語」は日本語です。私たちは幼児期から日本語を通して世界を認識し、物事を理解しているわけですから、それを他の言語に置き換えることなど、最初から完全に不可能だと思います。

つまり、私たちの「第一公用語」は、あくまで日本語です。そのうえで「第二公用語」として英語を設定するという発想に対しても、私は賛成できません。というのは、現在の日本社会にその必要があるとは思えないからです。

これはフィリピン出身の留学生から聞いたのですが、フィリピン共和国は七〇〇〇以上の島から構成される島国で、使用されている母語が一七二にも及ぶ多民族・多言語国家だということです。

最も人口の多いのは、約一億九〇〇〇万人のフィリピン人の四分の一を占める「タガログ族」で、彼らの母語が「タガログ語」なので、それを簡易化して人工的に作った「フィリピン語」が第一公用語に定められています。

さらに「英語」が第二公用語になっていますが、それはフィリピンが歴史的にアメリカの植民地だった時代が長く、国民が英語を用いることに違和感を持たないためです。むしろ若者は流暢（りゅうちょう）な英語を話し、伝統的なタガログ語やセブアノ語といったフィリピン固有の言語を話す老人が徐々に減少しているのが現状だそうです。

フィリピンのような多民族・多言語国家で、出身島や母語の異なる国民が円滑なコミュニケーションを取るために二つの公用語を必要とすることは理解できます。しかし、日本は過去に植民地支配されたことがなく、無理に外国語を使わなくても構いません。これは世界の中で考えてみても、とても珍しく、誇りに思ってよい環境だと思います。

日本語は日本人としてのアイデンティティそのものであり、日本文化の基盤でもあります。ですから私たちは、日本語と日本文化を守っていくことが最優先事項だと思います。

**経済学部C**　私もA子の言いたいことは、よくわかります。日本には立派な日本語がある以上、あえて英語を第二公用語にする必要はないということね。

でも、外国から訪れた人たちからすると、日本では空港やホテルや大都市の決まった場所でしか英語が通じないので、非常に閉鎖的な社会に見えてしまうという欠点もあると思います。

これは「観光学」の授業に出てきた話ですが、日本では地方の名所や旅館に行ってもほとんど英語が通じないので、外国人旅行者から敬遠されているそうです。その結果、せっかく欧米から旅行者がアジア圏に観光に来ても、日本では東京と京都だけを回って地方のすばらしい文化に触れることがなく、すぐに香港や上海に移動してしまうらしい。これでは「観光立国」などと言っても、インバウンドを望めないのではないでしょうか？

ですから、一種のショック療法的な意味で、英語を第二公用語にしてしまう手段もありかなと思います。私は羽田空港が大好きでよく遊びに行くんですが、電光掲示板の文字にしてもアナウンスにしても、すべて日本語と英語の両方ですよね。レストランのメニューも日本語と英語で併記してあるし、店員に話しかけても日本語でも英語でも通じる。もし日本全国が羽田空港のようになったら、インバウンドも大幅に増加すると思います。

それから、日本には外国人就労者も増えていますが、たとえば日本で看護師として働くためには、日本の看護師国家試験に合格しなければなりません。少し調べてみたところ、二〇一〇年の看護師国家試験に合格できたのは、外国人受験者二五四人中、たった三人しかいません。日本人の合格率は約九〇%なのに、外国人の合格率が一・二%の超狭き門になっているのは、試験が日本語だけで行われているからです。

英語で授業の行われる四年制大学の看護学科を卒業して、看護師の国家資格を得たフィリピン人やインドネシア人が、せっかく日本での就労を希望して来日しているにもかかわらず、難しい日本語の試験で不合格になっているわけです。

今後、看護師だけではなく、栄養士や介護士などの試験を英語でも実施するようにしたら、日本で就労を希望する外国人をもっと数多く受け入れることができるのではないでしょうか?

**理学部D**　つまり、社会のいろいろな場面で日本語と英語が併用されるようになれば、外国人の観光客や就労者の受け入れにメリットがあるということだよね。それはそれで理解できるけど、僕は、必ずしも英語を第二公用語にするほどの必然性はないと思います。

　そもそも「公用語」にするとはどういうことか、根本的に考えていく必要があるのではないかな。日本では、憲法をはじめ、基本的な法律や経済的な契約、社会的な重要事項説明など、すべてが日本語で記載されています。ここで英語も公用語ということになれば、それらの重要概念を日本語で表現しても英語で表現しても、どちらも政府や企業の公式見解とみなされるわけです。そこで翻訳が焦点になるわけですが、二つの言語間で意味やニュアンスに相違の生じる可能性はありませんか？

　理系分野では、できる限り言語的な解釈の齟齬（そご）や誤解が生じないように、研究者は、数式と記号と英文だけを用いて論文を執筆して、学会誌のレビューを受けて発表するのが学界のスタンダードになっています。ただし、理系の研究者が最初から英語で物事を考えているのかというと、実はそうではありません。

　物理学者の湯川秀樹は、幼少期から『老子』や『荘子』のような中国の文献に親しみ、京都帝国大学で物理学を専攻しながら、哲学科の西田幾多郎の講義を聴講していたそうです。そして、毎日のように夕暮れの「哲学の道」を散歩しながら、量子論の問題を考えていました。

その問題を簡単に説明すると、原子の中心にある原子核は、正電荷の「陽子」と電荷を帯びない「中性子」で構成されていて電荷的に不安定なのに、なぜ崩壊せずに安定して存在するのか、ということです。そして二七歳の湯川は、陽子と中性子の間を未知の「中間子」が素早く往来しながら結びつけているという「中間子理論」を思い付きます。

ここで興味深いのは、「中間子理論」の中心概念である「媒介の思想」が西田哲学の根本思想だということです。つまり、湯川は、難解な日本語で知られる西田哲学のおかげで独創的な理論を導き出したわけです。これは極端な話ですが、もし湯川が西田哲学の難解な日本語を読んでいなければ、中間子理論を発見できなかったかもしれません。

その後、宇宙線の軌跡から湯川の予見した「中間子」が実際に発見され、彼は一九四九年、日本人として初めてのノーベル物理学賞を受賞しました。さきほどA子さんが、日本語は日本人としてのアイデンティティであり、日本文化の基盤だと話していましたが、それに加えて、日本語は日本人特有の思考の原点でもあるわけです。

**医学部E**　たしかに、独創的な研究の背景に母語に基づく思考や文化の影響があることはわかります。しかし、湯川の「中間子理論」そのものは、数字と記号と英文だけを用いた論文で発表されたから、世界中の物理学者が読むことができたんだよね。

　その後、湯川はアメリカのプリンストン高等研究所に行って、アインシュタインと一緒に研究したりしているけど、その際も英語を使ったわけでしょう? 湯川の母語は日本語、アインシュタインの母語はドイツ語だけど、二人はお互いの公用語である英語でコミュニケーションを取ることができた。公用語としての英語は、そういう意味で必要不可欠なんじゃないかな……。

　前回のセミナーで、インターネットの一〇〇〇万を超える情報コンテンツを調査した結果、世界の情報の六〇%は英語で、日本語は二%にすぎないという話をしました。やはり僕は、日本語だけで情報を処理していたら、世界から取り残されてしまうという危機感を抱きます。

たしかに、かつてのイギリス帝国が、アメリカやカナダ、オーストラリアやインド、東南アジア諸国やアフリカ諸国を植民地化して「英語帝国主義」を拡大させたという歴史的事実を批判することはできるでしょう。しかし、すでに英語は世界の「公用語」になってしまったのですから、日本でも英語を第二公用語にして、誰もが自在に英語を「読む・書く・聞く・話す」の四技能を使えるように教育していくべきだと思います。

さきほどC子さんが国家試験を英語にしてはと提案していましたが、英語が公用語になれば、どの学校の授業や試験も英語で実施できるようになります。中学校や高校の授業でも、数学・理科・社会・音楽・体育といった科目を日本語と併用して英語で教えるようになれば、生徒は今よりも自由自在に英語を使えるようになるはずです。

大学の授業が全面的に英語で行われるようになれば、いろいろな国の外国人留学生が日本に押し寄せてくるでしょう。外国人留学生が多くなれば、大学構内だけでなく、彼らの周囲のあらゆる場面で日本人が英語でコミュニケーションを取る機会も多くなります。外国人留学生や外国人就労者が、日本を活性化してくれるのではないでしょうか。

大学の単位互換制度を活用すれば、たとえば最初の二年間は東京大学、次の二年間はアメリカのハーバード大学、大学院はイギリスのケンブリッジ大学に移動するような研究者も多くなるでしょう。このような留学によって日本人の若者の視野が広がり、日本全体のグローバル化をもたらすはずです。

現在、世界では八〇以上の国と地域が英語を公用語として、英語話者は二〇億人を超えています。僕は、日本人も彼らの仲間入りをするべきだと思います。

**教授**　「英語の早期教育は必要か?」という問題から「日本で英語を第二公用語にすべきか」という「公用語論」の哲学的議論が抽出されました。非常に難しい問題ですが、この哲学ディベートを契機として、改めて君たち自身で考えてみてください。

## 第2章2　一緒に考えてみよう

1　読者は、**法学部B**の発表と**教授**の補足を基盤として、**文学部A・経済学部C・理学部D・医学部E**の中では、誰の見解に最も賛同しますか?

2　それはなぜですか?　読者は、どのような価値観に最も共感したのでしょうか?

3　読者は、日本で英語を第二公用語にすべきだと考えますか?

# 第3章　美容整形とルッキズム

## 1　美容整形をしてもよいのか？

**教授**　本日のセミナーを始めます。テーマは「身体の選択」です。

　医療技術が飛躍的に発展した現代社会では、さまざまな人工器具で身体を補助することが可能になっています。体内に埋め込むペースメーカーや人工網膜などに加えて、高度な機能を有する義手や義足、さらに必ずしも治療を目的とするものではない「美容整形」も流行しています。

　今日は、これから経済学部のCさんに「美容整形をしてもよいのか？」という問題を提起してもらいます。その後で「哲学ディベート」を行いますから、どのような論点から肯定あるいは否定するか、頭の中でよく整理しながら聴いてください。

**経済学部C**　それでは、発表いたします。

「美容整形をしてもよいのか?」というテーマは、私自身が今、悩んでいることなので、アドバイスをいただけたら嬉しいです。実は、私は第一志望の航空会社から内定を頂戴して、先日「内定式」に行ってきたばかりです。すごく嬉しくて、来春からは社会人として精一杯がんばろうと思っているんですが、そこで心配になっているのが化粧のことです。

航空会社に勤務するうえで最も大切なルールの一つは「時間厳守」ですが、私は朝が苦手で、毎朝早起きして化粧をする時間が取れるのか心配です。来年は、訓練期間終了後に客室乗務員として国内線に搭乗し、社内の英語試験に合格できたら、早ければ再来年から国際線に乗ることができます。そこで長時間のフライトになると、仮眠後に短時間でメイクしなければなりません。

化粧をしない男性にはすぐに理解してもらえないかもしれませんが、たとえば眉のメイクだけでも結構時間が掛かります。私が本格的に眉を化粧するときには、眉用シェーバーで形を整えて、ペンシルで眉毛一本一本に沿って薄い部分に描き足して土台を作り、スクリューブラシで濃淡のカラーを加えて立体感を出します。アイブロウパウダーや眉マスカラも何種類か使うし、眉だけでこれだけあるので、もし化粧道具を全部入れたら、化粧ポーチを持ち歩くだけでも大変です。

そこで調べてみたところ、「メディカル・アートメイク」という「消えない化粧」のあることがわかりました。麻酔をして、皮膚の表皮に針でカラーを入れていく方法で、「タトゥー（入れ墨）」に似ています。

これを眉に入れてしまえば、カラーは生涯消えません。ただ二、三年すると表皮のターンオーバーで薄くなってくるので、「リタッチ」というメンテナンスでカラーを整える必要があるようです。でも、カラーを入れてしまえば汗やシャワーでメイクが落ちないので、プールで泳いでも平気だし、何よりも毎日のメイクの時間を短縮できます。

私がネットで調べたクリニックでは、グラデーションをつけながら眉の形を整える「パウダーグラデーション」と、線状に一本一本眉毛を描いていく「マイクロブレーディング」があって、そのコンビネーションの場合、三回の施術で完了し、費用は約一三万円です。

このクリニックでは、「アイライン」が約七万円、唇の場合は「リップライン」だけで約一五万円、「フルリップ」は約二〇万円で施術できます。眉毛とアイラインとリップに施術すると、全部で四〇万円になりますが、その後は本当にメイクが楽になるので、大学に在学している間に施術するか悩んでいるんです。

こうして自分の顔のことを考えているうちに、いろいろ気になるところが出てきました。どうせなら、メスを入れない「プチ整形」もやってみようかと思って……。たとえば「二重埋没法」は、瞼の二カ所を先端に針が付いている高強度で極細な医療用糸で引っ張る方式で「二重瞼」にします。この方法ならば、自分の気に入った幅で二重にできるし、もし気に入らなかったら、針と糸を外せば元に戻すことができるみたいです。

顔にメスを入れる「整形手術」となると、失敗や後遺症の心配もあるので私は躊躇しますが、もし何らかのコンプレックスを抱えている人が整形手術によって自信を持てるのであれば、それはそれでよいのではないかとも思います。しかし、その一方で、ネットでは「あのアイドルは整形だ」とか「整形顔が気持ち悪い」などの誹謗中傷や批判なども見かけます。

私が問題提起したいのは、このような「美容整形をしてもよいのか？」ということです。

**教授**　Cさん、どうもありがとう。「メディカル・アートメイク」や「プチ整形」の実情までよく調べて、わかりやすく発表してくれたね。

少し補足しておくと、「整形手術」と「プチ整形」を行ってよいのは医師、「メディカル・アートメイク」は医師、あるいは医師の指導の下で看護師が施術してよいことになっていてね。いずれにしても、これらの施術はすべて日本では「医師法」の下で行われる医療行為だという点に注意が必要だろう。

それでは「タトゥー」はどうなのかというと、大阪府でタトゥー・ショップを経営する彫り師が、医師免許を持たないにもかかわらずタトゥーを客に施術したとして、医師法違反の罪に問われた事件がある。

二〇一七年九月、大阪地方裁判所は、タトゥーの施術によって、ウイルス感染・アレルギー反応・皮膚障害が生じる可能性を指摘し、「保健衛生上の危害を生ずるおそれのある行為」であることから「危険性を十分に理解し、適切な判断や対応を行うためには、医学的知識及び技術が必要不可欠」と判断した。つまり「タトゥーは医療行為であって医師免許が必要」だとする判断を下し、被告人に一五万円の罰金刑を言い渡した。

ところが、もしタトゥーの施術に医師免許が必要になれば、日本の彫り師は急激に減少し、タトゥーを彫るという「創作活動」を制約することになりかねない。この判決は、憲法が保障する「職業選択の自由」に抵触するのではないかと、彫り師と学者らが弁護団と共に被告人を支援し、被告人は控訴した。

二〇一八年一一月、大阪高等裁判所は、一審の判断を覆し、被告人に「無罪」を言い渡した。タトゥーの施術は「美術の知識・技能が必要で、歴史的にも無免許の彫師が行ってきた実情がある」と認め、「社会通念に照らして医療行為とは認めがたい」と結論付けた。ところが、今度は、この判決を不服とする検察が上告した。

そして二〇二〇年九月、最高裁判所は「上告を棄却する」判断を下し、被告人の「無罪」が確定した。草野耕一裁判長は、タトゥーについて「反道徳的な自傷行為と考える者もおり、同時に、一部の反社会的勢力が自らの存在を誇示するための手段としてタトゥーを利用してきたことも事実である。しかしながら、他方において、タトゥーに美術的価値や一定の信条ないし情念を象徴する意義を認める者もおり、さらに、昨今では、海外のスポーツ選手等の中にタトゥーを好む者がいることなどに触発されて新たにタトゥーの施術を求める者も少なくない。このような状況を踏まえて考えると、公共的空間においてタトゥーを露出することの可否について議論を深めるべき余地はあるとしても、タトゥーの施術に対する需要そのものを否定すべき理由はない。以上の点に鑑みれば、医療関連性を要件としない解釈はタトゥー施術行為に対する需要が満たされることのない社会を強制的に作出しもって国民が享受し得る福利の最大化を妨げるものである」と補足意見を加えている。

ただし、草野裁判長は、「タトゥー施術行為に伴う保健衛生上の危険を防止するため合理的な法規制を加えることが相当であるとするならば、新たな立法によってこれを行うべき」である点を指摘し、「タトゥー施術行為は、被施術者の身体を傷つける行為であるから、施術の内容や方法等によっては傷害罪が成立し得る。本決定の意義に関して誤解が生じることを慮りこの点を付言する」とも述べている。

要するに、タトゥーの施術を医師法違反で裁くことはできないため、もし何らかの規制を加えたければ、新たな立法が必要だと結論付けたわけだ。

現在の日本では、国民の身体に直接関与する「医師・看護師・理容師・美容師」に国家試験が課されている。一方、「メディカル・アートメイク」では医師が「真皮」に色素を入れるのに対して、タトゥーの彫り師は真皮よりも深い「皮下組織」にまで色素を入れる。つまり、医師よりも深く皮膚を彫るタトゥーの施術に何の資格も必要のないことが最高裁で保障されてしまったわけで、この周辺のアンバランスな現状については、議論の余地があるだろう。


**文学部A**　私は、タトゥーにしてもメディカル・アートメイクにしても、わざわざ自分の皮膚を傷つけて色素を入れたいとは思いません。

　これは「中国思想史」の授業に出てきた話ですが、孔子と曾子が交わした問答をまとめた『孝経』に、「身体髪膚之を父母に受く。敢えて毀傷せざるは孝の始めなり」と孔子が述べています。

　ここで「身体髪膚」というのは、身体のありとあらゆる部分を指して強調した言葉で、自分の身体は両親から授かった以上、どこにも傷をつけないのが親孝行の第一歩だと言っているわけです。

　もし私が美容整形すると言ったら、私の両親は悲しむと思います。もしかしたら、泣くかもしれません。というのは、私の顔は両親の遺伝子の組み合わせで自然に形成された結果ですが、自分はそれが嫌だから変更すると言うのと同じことだからです。もっと鼻が高いほうがよいとか、もっと目が大きいほうがよいとか、自分勝手な美意識だけで、両親や祖先から引き継いだ顔を人工的に変えてよいとは思えません。

もちろん、病気や事故のために必要不可決な整形を行うのは当然だと思います。C子のように忙しい客室乗務員になる女子大生が、メディカル・アートメイクに惹かれる気持ちも理解できます。だから、無理に反対はしませんが、C子とは中高一貫校から大学まで、もう一〇年の親友なので、あえて言わせてもらうと、本当はC子が皮膚に色素を入れることに、積極的に賛成はできません。

もしC子が眉とアイラインとリップに施術したら、そのカラーで顔が固定されてしまうわけでしょう? メイクだったら、その日の服装や気分に合わせて、色彩をいくらでも変えることができるけど、それができなくなる。つまり、C子の顔は、ある程度、人工的に固定されてしまうわけです。そうなると、昔から私が知っているC子でなくなるような気がして、親友としては少し寂しい気持ちになります。

もともとC子は美人なんだから、ナチュラル・メイクで十分だし、むしろノーメイクでも全然大丈夫だと思います。顔は、その人間のアイデンティティを表しますから、自然のまま大事にしてほしいというのが、私の正直な気持ちです。

**法学部B**　僕は、タトゥーであろうと美容整形であろうと、すべて個人の「自己決定権」に含まれる権利だと考えますから、当然、個人の自由な判断に委ねられるべきことだと思いますね。

ここでいう「自己決定権」とは、一九世紀の哲学者ジョン・スチュワート・ミルが『自由論』で初めて明確に述べた権利で、①自己責任能力のある個人が、②自己の所有にある対象について、③他者に迷惑を掛けない限り、④たとえそれが自己に不利益をもたらすことであっても、⑤自由に決定することができるという考え方です。

以前の「哲学ディベート」のセミナーでこの考え方を知ってから、僕は、この種の問題に関しては、他人がとやかく言うことではなく、完全に個人の自由意志で決定すればよいことだと思うようになりました。だから、C子さんがメディカル・アートメイクであろうとプチ整形であろうと、自分でよく考えて判断するのであれば、他者に迷惑を掛けることではないし、誰にも文句を言う権利はないと考えます。

ただし、そこで注意しなければならないのは、「④たとえそれが自己に不利益をもたらすことであっても」という部分です。たとえば、C子さんの説明にあったメディカル・アートメイクでは、たしかに毎朝のメイク時間を短縮できるとか、汗や水でメイクが落ちないというメリットがありますが、高額であることや、皮膚に色素を入れると完全に消えることがないというデメリットもあります。

色素を入れてしまった結果がどうなるかは、やってみなければわからないので、A子さんが言うような「人工的」なイメージになってしまうのかもしれません。たとえば、眉だけに色素を入れたら、素顔になっても眉毛だけは化粧したように目立つわけでしょう?

もし、僕の彼女がスッピンになったとき、いつでも眉毛だけは化粧した後のように色素が入っていたら、ちょっと気味悪く感じるかもしれません。でも慣れてきたら、全然気にならないかもしれない。無責任なようですが、僕は自分自身がどう感じるのかさえ、予測できません。結局、周囲の声は当てにならないので、最終的には本人が判断するしかないと考えるわけです。

**理学部D**　僕は、美容整形もプチ整形もメディカル・アートメイクも、すべて女性が金儲けの対象として搾取されているように思えて、不快感を抱きますね。

これはネイルサロンやまつ毛エクステンション、化粧品やダイエット器具の販売などにも言えることで、要するに「女性は美しくなければならない」というジェンダー概念を極端に悪用した「金儲け」に引っ掛かっているだけではないですか？

ネットで「国際美容外科学会（ＩＳＡＰＳ：International Society of Aesthetic Plastic Surgery）」が世界規模で実施した「美容処置に関する国際調査（International Survey on Aesthetic/Cosmetic Procedures）」の結果を見ると、二〇一九年に全世界で行われた美容処置は約二五〇〇万件、その内、約一一〇〇万件が「外科処置」（前年度比七・一％増）、約一四〇〇万件が「非外科処置」（前年度比七・六％増）になっています。つまり、いわゆる「美容整形」は、年に七％のペースで増加しているわけです。

「外科処置」は、豊胸術・脂肪吸引・まぶた処置・腹部形成・鼻形成の順に多く、「非外科処置」は、ボツリヌス菌注入シワ取り・ヒアルロン酸注入輪郭形成・脱毛・非外科的脂肪除去・レーザーケアの順に多くなっています。

これらは、人間が生きていく上で絶対に必要不可欠な処置でしょうか？　僕からすると、胸を大きくしたり、お腹を引っ込めたり、目を大きく見せたり、あるいは、シワやシミを除去したり、頬のたるみを取ったりすることに、生きていく上で大きな意味があるとは思えません。その多くは、年齢と共に必ず進行する「老化現象」であるにもかかわらず、それを隠して、外見ばかり若く見せようとする人間の哀れでバカげた悪あがきに思えます。

二〇一九年に美容処置が行われた国を多い順に並べると、アメリカ（三九八万二七四九件）、ブラジル（二五六万五六七五件）、日本（一四七万三二二一件）、メキシコ（一二〇万四六四件）、イタリア（一〇八万八七〇四件）と続き、あとは一〇〇万件以下です。

ちょっと計算すると、アメリカと中南米のブラジルとメキシコ、さらに日本の合計件数だけで、世界の美容処置の半分近くになることがわかります。つまり、これらの国々の多くの人々は、美容整形の「商業主義」に踊らされているのではないでしょうか？

形成外科医の推定数を見ると、多い順にアメリカ（六九〇〇人）、ブラジル（六〇一一人）、中国（三〇〇〇人）、日本（二七〇七人）、韓国（二五七一人）、インド（二四〇〇人）、メキシコ（二一二四人）になっています。形成外科医の推定数と、実際の美容処置数が比例していないので、もしかすると中国・韓国・インドなどでは、表向きの調査報告に出ない美容処置が多く行われているのかもしれません。

いずれにしても、この国際調査から明らかなのは、美容整形が世界の非常に偏った国々だけで行われていることです。世界を見渡せば、逆に、美容整形などにこだわらない国々のほうが圧倒的に多いことがわかります。

**医学部E**　僕は、以前のセミナーでもお話ししましたが、新生児内科で先天性の「口唇口蓋裂」の疾患を持って生まれてきた新生児のことが忘れられません。

もう一度説明すると、「口唇裂」とは上唇が裂けている状態、「口蓋裂」とは口腔と鼻腔を隔てる上顎が裂けて、口と鼻の中が繋がっている状態です。「口唇口蓋裂」は、その両方が重なっている状態なので、重症といえば重症なのですが、現在では、形成外科で何度か手術を繰り返せば、機能的にはもちろん、外見的にもほぼ完全に治療することができます。これは、現代の医療技術のすばらしい一面だと思います。

今、「形成外科」という言葉を使いましたが、一般に「形成外科」とは、「身体に生じた組織の異常や変形、欠損などに対して、機能的および形態的に改善を目指す外科領域」を指します。これに対して、「整形外科」は、「身体の芯になる骨・関節などの骨格系とそれを取り囲む筋肉やそれらを支配する神経系からなる『運動器』の機能的改善を目指す外科領域」を指します。

世間で使われている「美容整形」という言葉は誤解を招くので、専門医はあまり使用しません。医学的な専門領域で考えると、あくまで外科の分類として「形成外科」と「整形外科」があり、その「形成外科」の一部に「美容外科」があると考えてもらうとよいと思います。

一般的な「形成外科」と「美容外科」は何が違うのかというと、要するに、保険適用ができるかできないかの相違です。さきほどお話しした先天性疾患や、ガン切除に起因する顔面変形、あるいはケガによる変形であれば、正式な病名が存在しますから、形成外科で保険診療を受けることができます。一方、正式な病名がなければ、美容外科で自費診療を受けることになります。

僕は、基本的に正式な病名が存在するような疾患の治療を目指して医学を志していますから、率直に言って、美容外科には興味がありません。さきほどD君が批判的に言っていたように、美容外科は自費診療ということもあって、診療費を好きなように設定できますから、大儲けしているような医師が存在することも事実です。

ただし、美容外科を訪れる人の中には、自分の外見に大きなコンプレックスを抱き、対人恐怖や自信喪失に陥っているようなケースもありますから、美容外科の処置すべてを安易に批判はできません。その反面、美容外科に通い始めたばかりに、一カ所に手を加えると顔のバランスが変化しますから、他の箇所にも手を加え、結果的に何度も手術を繰り返すような「依存症」になってしまうケースもあります。美容外科よりも、心療内科に行くほうがよいケースがあることを、先輩の医師から聞いたこともあります。

それに、「病名があれば形成外科、なければ美容外科」と大まかに定義しましたが、実際にはその判断が難しいことも多々あります。たとえば、生まれながらに鼻が二ミリ歪んでいるとか、眼の間隔が通常より三ミリ広かったとしても、他人が変だと思うことはないでしょう。この程度の差は「顔の個性」とみなされるのが普通です。

ところが、それが二センチだったらどうでしょう？　もし先天的に鼻が二センチ歪んでいたら、これはかなり目立つ「醜状変形」であり、成長の段階で当人が大きな精神的苦痛を抱える可能性があります。つまり、何ミリまでの変形が「顔の個性」で、何ミリ以上の変形が疾患と判断できるのかは、医師の判断に委ねられているのが現状です。

いずれにしても、形成外科の処置数が世界でも突出しているアメリカやブラジルや日本では、外見で人を判断する「ルッキズム」が流行しすぎているのではないでしょうか。本来は、どんな顔であろうと、どんな身体であろうと、何も気にせずに相互の個性を尊重して生きていける社会を模索すべきだと考えます。

**第3章1　一緒に考えてみよう**

1　読者は、**経済学部C**の発表と**教授**の補足を基盤として、**文学部A・法学部B・理学部D・医学部E**の中では、誰の見解に最も賛同しますか？

2　それはなぜですか？　読者は、どのような価値観に最も共感したのでしょうか？

3　読者は、美容整形をしてもよいと考えますか？

## 2 なぜルッキズムに陥るのか？

**教授**　「美容整形をしてもよいのか？」という問題に対する皆の見解を聞いて、発表者のCさんは、どう思いましたか？

**経済学部C**　前回のセミナーで皆さんの意見を伺って、大学在籍中にプチ整形やメディカル・アートメイクに踏み切るべきか、かなり悩みました。ちょうど先日、内定を頂戴した航空会社の懇親会があり、現役CAの先輩と話す機会があったので、思い切って私の悩みを相談してみました。

そもそもCAは容姿を整えるべきであるということは、人事評価の対象にもなっているそうですから、「見た目」が大切であることはハッキリしています。ただし、そこで「見た目」というのは、あくまで「清潔感」や「品性」であって、派手な印象は避けるほうがよいとアドバイスをいただきました。

日本の航空会社でCAにタトゥーが禁止されていることは以前から知っていましたが、メイクの方法にしても、「優しい印象を与えるメイク」が望ましく、「流行メイク」は禁止されているそうです。搭乗時には「つけまつ毛」や「まつ毛エクステンション」も禁止されていて、派手なメイクが想像していた以上にタブー視されていることがわかりました。

とくに印象に残ったのは、「私達は、あくまでお客様があっての私達なのだから、お客様よりも派手な印象を与えることや、お客様よりも華美な時計や装飾品を身に付けることは、慎まなければね」という先輩の言葉です。

「どうしても時間を節約したいのなら、眉毛のメディカル・アートメイクくらいはありかもね」と言われましたが、実際に眉毛にメディカル・アートメイクを施術しているのは、眉毛が薄くなった年長者のCAだけで、私のような新入のCAが施術しているのは見たことがないそうです。

会社から「訓練開始までに読むように」と渡された「お客様の声」という小冊子があるのですが、先輩からそれをよく読むように言われました。その小冊子には、搭乗後のお客様から寄せられた声が引用されています。

ある便に搭乗したお客様が「パニック障害」であることをCAに伝えたところ、それが機長に伝わり、機長から「自分もジェットコースターは苦手です。揺れないように操縦しますから、ご安心ください」という機内アナウンスがありました。お客様は、その配慮に感激されたそうです。

出産直後から集中治療室に入っているお孫さんを見舞うために、老夫婦が飛行中に「折鶴」を折っていた話もあります。事情を知った機内のCA全員が一緒に折鶴を折り、お見舞いメッセージを添えて手渡したところ、ご夫婦が感動してくださったそうです。

着陸後、お客様が搭乗口に向かって歩いていると、CAが追いかけてきました。そのお客様の持っていた土産袋が傷んで破れかけていたので、新しい紙袋を持ってきてくれたそうで、その配慮に感謝の声が寄せられています。

この小冊子の表紙には、「100人のお客様」がいれば「100通りの想い」があり、その「想い」は常に変化するため「正解はありません」と書いてあります。しかし、その「想い」に応えることは「難しいこと」でも「特別なこと」でもなく、「一生懸命さ、ひたむきさは必ずお客さまに伝わります」とありました。

改めて考えてみると、私のように入社前の人間が、プチ整形やメディカル・アートメイクにこだわること自体、かなり「ルッキズム」に偏っていたのではないかと、ちょっと反省しました。やはり私は、外見にこだわるよりも、内面からお客様の想いに応えられるようなCAになりたいので、プチ整形もメディカル・アートメイクも、結局、全部やめることにしました！


**教授** なるほど。社会学者の山口誠氏は、CAを「おもてなしの達人」と位置付け、その「達人」になることを「究極の任務」とみなしていてね……。

彼は、その小冊子に書いてあるような「対価を求めない無償奉仕、終わりなき自己研鑽、そして伝統や教養に裏打ちされた集合的で審美的な品格への同化、という三つを特徴」とする労働を「品格労働」と呼んでいる。

つまり、「お金のためでなく、他人のためでもなく、自分を磨くために伝統の『おもてなし』を実践し、その先に日本人としても品格を共有する」のが品格労働であり、CAこそがその「達人」だという考え方だ。

日本の大手航空会社は、入社前からそのような小冊子を通して「品格労働」を教育しているわけだ。いつの間にか、Cさんも立派なCAの卵になってきたのかもしれないね。

ところで、今の話に出てきた「ルッキズム(lookism)」とは「外見(looks)」で人を差別することで、近年、ジェンダー論やメディア論などの多彩な分野で議論されるようになってきた。

この言葉は、場合によっては「外見至上主義」と訳されることからもわかるように、「身体的に魅力的」であることを何よりも優先し、「身体的に魅力的」でないとみなされる人々を差別的に扱う態度を意味する。

メディア文化論を専門とする大妻女子大学教授の田中東子氏によれば、日常会話やネットに書き込まれる次のようなコメントが「ルッキズム」に相当する。

「あいつブスだよな」「お前、なんで髪伸ばして女らしくできないんだよ」「太りすぎだ」「服がダサい」「その顔でよく自撮りを晒せるな」「あのアイドル、劣化したよな」「ババア」「胸垂れてきたな」「太い足」「美人のフェミニストなら話を聞いてやるよ」……。

個人の主観的判断ばかりでなく、「ルッキズム」は経済活動にも深く関係している。君たちの周囲の広告を見渡してみれば、どれだけ「ルックス」を改善するための美容やダイエットに関する製品やサービスで溢れているか、よくわかるだろう。

田中氏によれば、「容姿や体形を卑下したり、体毛を醜(みにく)いものとして嫌悪したりするなど、今日の広告は特定の容姿や特定の体形以外を恥ずかしいものとして貶(おとし)め、身体と美をめぐる脅迫と恫喝(どうかつ)によってボディワークへと私たちを駆り立てる」というわけだ。

その意味では、現代社会の「ルッキズム」は一種の「全体主義的な洗脳」を暗示しているとも考えられるだろう。

**文学部A**　百人一首の「花の色は　移りにけりな　いたづらに　わが身世にふる　ながめせしまに」を詠んだのは、「絶世の美女」として知られる小野小町です。

平安時代には、顔は大きめ、しもぶくれで、「引目」と呼ばれる細い眼、低くて小さい鼻、おちょぼ口が美しいとみなされていましたから、小野小町の顔は、典型的な「オタフク顔」だったはずです。

当時は飢饉もあり、裕福でなければ満足な食事もとれなかったため、豊かさの象徴として、ふくよかな体形が好まれました。さらに美白肌と長い黒髪、それに和歌を詠む素養が必要で、それらを兼ね備えていた小野小町が「絶世の美女」と呼ばれたわけです。

もし現代社会で「美人」と呼ばれる女性が平安時代にタイムスリップしたとして、顔が小さく痩せすぎで、流行メイクをしている女性だったら、つけまつ毛やアイシャドウで強調された両目や濃いチーク、光沢のあるリップなどから「化け物」と呼ばれるかもしれません。

つまり、「美女」という言葉は、時代背景によって移り変わる儚い感性によるものに過ぎず、人は「美醜」について思い悩んでいるうちに、小町が詠っているように、いつの間にか年老いていくものなのではないでしょうか?

私が小学生の頃、肌の色が白すぎて、同級生から「死んでいる人みたい」と言われて、すごく傷ついた経験があります。後でわかったことですが、私は陰で「お化け」と呼ばれていたそうで、それを知ったときには、もっと深く傷つきました。

さらに、追い討ちをかけるように、朝のホームルームで私の顔を見た先生に、「お前、体調不良じゃないのか？　保健室に行くか？」と言われたことがあって、もちろん先生に悪気があったわけではないと思うのですが、その先生の心配そうな声を聞いてクラスの男の子たちが爆笑したので、本当に悲しかったです。

ところが、中学から高校時代になると、「肌の色が本当に透き通って綺麗」とか、「どんな美白の手入れをしているの？」などと聞かれるようになり、同じ私の肌が、まったく違う価値観で評価されることに気付きました。

現代と平安時代の相違だけではなく、私の短い人生の経験だけから考えても、人の評価は真逆に変わるわけです。ですから、私は「ルッキズム」のような「幻影」を気にする必要はないと思います。

**法学部B**　たしかにA子さんは美白だよね。実は、僕の母も本来は色白だったのに、母が若い頃には「日焼けした小麦色の肌」が人気だったそうで、日焼けサロンに行って、わざわざ肌を焼いていたそうです。そのおかげで、今になって身体のあちこちにシミが出てきて、「若気の至り」だと嘆いていますけど。

そもそも、「小麦色」がよいとか「美白」がよいといった流行は、アイドルや美容業界が生み出す販売戦略でしょう。したがって、とくに女性たちは、そういう「流行」に踊らされること自体がバカげていると自覚することのほうが大切だと思います。

ただし、「ルッキズム」について、僕は一概に「悪」だと断定はできないと思います。というのは、人を「外見だけ」で判断してしまうことは明らかに間違いですが、「外見を参考に」判断するのは、当然のことだからです。

仮に外見が不潔だったり、挙動が変だったり、いわゆる不審な人々を僕らは敬遠しますが、それは自分の身を守るために当然の判断だと思います。駅や電車で挙動不審な人物がいたら、近づかないのが正当な判断でしょう。

これは「外国法」で学んだ内容ですが、アメリカ合衆国では、一八六七年にカリフォルニア州サンフランシスコ市で「醜い法律(Ugly Laws)」と呼ばれる条例が制定されています。この条例は、病気や事故で「醜い容姿」となり、一般大衆に不信感や不安感を抱かせる「特定の人」が公共の場所に現れることを禁止するものです。

一八八一年にイリノイ州シカゴ市で制定された同種の条例は、より明確に「病気、不具、切断、または何らかの意味で変形した見苦しく胸が悪くなるような対象（"diseased, maimed, mutilated, or in any way deformed, so as to be an unsightly or disgusting object"）」と「特定の人」を定義しています。

アメリカの「南北戦争」は四年以上にわたる大激戦で、一八六五年の戦争終結までに南北両軍合わせて五〇万人以上のアメリカ人が戦死したとみなされています。市民を含めた負傷者数は、その何倍にもなったはずです。そこで大きな傷を負った「路上物乞い」が街に集まり、周囲を脅かす存在になったので、「醜い法律」が制定されたわけです。ところが、一八八一年のシカゴ条例以降は、物乞いばかりでなく、障害者、移民、貧困者やホームレスなどにも適用されるようになりました。この種の条例は、ニューオリンズやポートランドのような大都市でも次々と制定されました。

つまり、かつては「ルッキズム」そのもののような法律があったわけです。これらの「醜い法律」は、公民権運動以降の一九七〇年代に消滅し、今では逆に、「ルッキズム」を裁く法律が世界的に増えています。たとえば、ミシガン州では「容姿（身長・体重）」で雇用機会に差別があってはならないと条例で定めています。

**理学部Ｄ**　僕は、情報処理の観点から考えてみました。そもそも、ヒトが外界から受ける情報の八割は「視覚」、その次が「聴覚」によるものですから、情報の大部分は視聴覚から与えられているといっても過言ではありません。

進化論的に考えてみれば、「見る」と「聞く」という操作は、一定の距離を置いて対象を認知するという意味で、自己の安全を瞬間的に脅かすものではなかったわけです。これらの情報は、最初に脳の新皮質に伝わって「客観的」に捉えることができたため、そこから飛躍的に高度な知性が生じたと考えられています。

一方、「嗅覚・味覚・触覚」に与えられる情報は、古い脳辺縁系に直接入力されます。刺激臭を嗅いで顔をそむける、腐敗した食物を口に入れて吐き出す、熱いものに触れて手を引っ込めるといった操作は、瞬間的な無条件反射として生じます。これらは、新皮質よりも先に「主観的」な感情を呼び覚ます原始的な運動で、他の動物にも共通した反応といえます。

要するに、ヒトは高度な知性を備えた生物に進化しましたが、その情報の八割は視覚に頼っているわけです。したがって、「ルッキズム」のような傾向は、ヒトが存在する限り永遠に続くはずです。

僕らが初対面の人と会う際、相手の顔全体における目鼻口耳の形や配置、頭部のバランスや髪、肌の色や張り具合、手足のバランスや姿勢などを視覚から受け取り、脳が過去に蓄積してきたデータと比較して総合的に「美醜」を判断します。

よく就職活動で「顔採用」などと言われますが、これは必ずしも「差別」という意味ばかりではなく、会社の人事担当者は長年の採用経験から、どのような「顔」が自社に適応しているか、どのような「顔」が入社後に不適応だったか、脳内で総合的に判断している可能性があります。

したがって、問題となるのは「ルッキズム」そのものではなく、それを表現する「言葉」にあるというのが、僕の結論です。

たとえば、さきほどのA子さんの例で考えてみると、A子さんの肌の色が白いという事実に対して、それを「死んでいる人みたい」や「お化け」などという言葉で表現することに問題があるわけです。

もし小学校の先生が「A子さんの肌が真っ白なのは、他の人にはない一つの個性なんだよ」と言っていたら、子どもたちも笑わずに納得したはずです。もし幼い頃から、どんな「ルックス」も一つの個性なんだよ、という教育がなされていれば、現在の「ルッキズム」における「差別」の問題は解消されていくのではないでしょうか。

結局、「差別」を生み出すのは「言葉」だということです。ネットに「ルックス」に関する誹謗中傷を書き込まれて自殺したアイドルや芸能人も、結果的には「言葉」の暴力によって追い詰められています。

「最近、ふっくらしてきたよね」という「言葉」に傷ついて、ダイエット依存から拒食症になってしまった女性のニュースを見たことがあります。もちろん「ルッキズム」の対象は女性ばかりでなく、男性の外見をバカにするような「言葉」も数多く存在します。

ですから、「ルッキズム」についても「ヘイトスピーチ解消法」のような規制を考えるべきかもしれません。

**医学部E**　これはイラン出身の医学部の留学生から聞いた話ですが、イラン人の女性は鼻が高すぎるので、鼻骨を削って鼻を低くする整形が大流行しているそうです。その手術費用は先進国並みで、イラン人の平均年収に相当しますから、鼻を整形できるのは、非常に裕福な家庭の女性に限られています。

そこで、実際には整形していないにもかかわらず、鼻にガーゼを貼って、整形後のように見せかける若い女性のファッションが流行しているそうです。冗談かと思ってネットで調べてみたら、本当に鼻にガーゼを付けた若いイラン人女性の画像がたくさん出てきて、ビックリしました。

これは先生の「比較文化論」で紹介された話ですが、エチオピアの南西部に居住する「ムルシ族」の女性は、唇が大きいほど美人とみなされます。そこで結婚前の女性は、唇に穴を空けて「デヴィニヤ」と呼ばれる皿を嵌め込みます。

この皿は、最初は直径一センチくらいから徐々に大きな皿に替えて、最終的には直径二〇センチを超えるサイズにする女性もいます。また、耳たぶも大きい方が美人とみなされるため、両耳の耳たぶに穴を空けて、唇と同じように「デヴィニヤ」を嵌め込む女性もいます。

ムルシ族の男性は、唇や耳の穴が大きくなければ女性に魅力を感じません。幼い頃からの「美醜」に関するインプットがどれだけ文化性に依存しているのか、思い知らされました。

唐から清にかけての中国では、小さい足の女性が美しいとみなされ、一〇〇〇年近くに渡って「纏足(てんそく)」の俗習が続きました。当時の中国の母親たちは、娘が三歳になると、両足の親指以外の四本の指を内側に曲げて木綿の布できつく縛って、発育を抑制しました。

娘は苦痛で夜も眠れなかったそうですが、どんなに泣いても喚(わめ)いても、三日に一度、消毒して縛り直すとき以外は緩(ゆる)めることなく、縛り続けます。すると、約二年後には足の骨が変形して、ハイヒールを履いたように爪先立ちで歩くようになります。

「纏足」女性の爪先立ちの歩き方は、性的に魅力的だとみなされ、走ることもできないため、どこへも逃げることができません。当時はこれが、男性による女性支配のために非常に都合がよい習慣でした。女性の足のサイズは、成人で一〇センチ程度が最も美しい「三寸金蓮(さんずんこんれん)」と呼ばれ、そのような足の女性こそが、良家へ嫁(とつ)ぐことができたわけです。

ここで注意してほしいのは、「纏足」の習慣のなかった満州族の清王朝が「纏足禁止令」

を出したにもかかわらず、中国の女性たち自身、なかなかこの習慣を止めようとはしなかった点です。なぜなら、彼女たちの脳内にも、「纏足」こそが「美人」の証だとインプットされていたからです。

アフリカ北西部のモーリタニアでは、今でも太った女性ほど美しいとされています。この国は、全土がサハラ砂漠に覆われて農耕に適さず、国民の大半が遊牧民で、伝統的に太った女性こそが豊穣の美として崇められてきました。

この太った女性というのが、ルノワールの絵に描かれているような、ふくよかな女性というレベルではなくて、体重一〇〇キロを超えて一五〇キロ近くの肥満女性こそが美人とみなされるから、尋常ではありません。

モーリタニアでは、女の子が生まれると、将来よい花嫁になれるように、両親が強制的に肥満化させます。五歳になると、脂肪を豊富に含むラクダの乳に砂糖を混ぜて、毎日飲まされるようになります。その量は日増しに多くなり、一九歳の頃には、一日に二〇リットル近く、一六〇〇キロカロリー相当を飲まされるそうです。

内臓破裂で亡くなった少女の例も報告されていますが、それでも痩せた女性は貧困の象徴とみなされて結婚できないため、その俗習は今も続いています。

他にも世界各地の女性が、その文化圏において「女性は美しくなければならない」という根本理念に組み込まれて、想像を絶するようなさまざまな身体改造を行っています。アムネスティ・インターナショナルをはじめとする国際人権団体が告発を続けていますが、その国の文化や伝統という名のもとに、なかなか改善が見られません。

僕は、「ルッキズム」の根底にあるのは、やはり歴史的に考えても「女性差別」の問題だと思います。前回のセミナーでも触れましたが、とくに形成外科の美容処置数が世界で突出しているアメリカやブラジルや日本では、外見で人を判断する「ルッキズム」が流行しすぎていると思います。

ミス・ミスターコンテストのように、外見を大きな要因として順位付けするようなコンテストも、社会的ルッキズムを助長しているのではないでしょうか？　僕は「人種差別」と同じように「女性差別」を撤廃するための第一歩として、「ルッキズム」のような発想そのものを根底から捨て去る必要があると思います。

**教授**　「美容整形をしてもよいのか？」という問題から「なぜルッキズムに陥るのか？」という「ルッキズム」の哲学的議論が抽出されました。非常に難しい問題ですが、この哲学ディベートを契機として、改めて君たち自身で考えてみてください。

**第3章2　一緒に考えてみよう**

1　読者は、**経済学部C**の発表と**教授**の補足を基盤として、**文学部A・法学部B・理学部D・医学部E**の中では、誰の見解に最も賛同しますか？

2　それはなぜですか？　読者は、どのような価値観に最も共感したのでしょうか？

3　読者は、どうすればルッキズムに陥ることがなくなると考えますか？

# 第4章 自動運転とＡＩ倫理

## 1　AIに自動運転を任せてよいのか？

**教授**　本日のセミナーを始めます。テーマは「AIの選択」です。「人工知能（AI：Artificial Intelligence）」の能力が飛躍的に向上するにつれて、近い将来にはAIやロボットが人間に代わって多くの仕事を遂行するようになると予測されています。そこで重要になってくるのが、社会においてどのようにAIに分担を任せ、いかに人間と共存させればよいのかという問題です。

今日は、これから理学部のD君に「AIに自動運転を任せてよいのか？」という問題を提起してもらいます。その後で「哲学ディベート」を行いますから、どのような論点から肯定あるいは否定するか、頭の中でよく整理しながら聴いてください。

**理学部D**　それでは、発表いたします。

最近、「近いＡＩが人間の仕事を奪う」というタイプのニュースをよく見かけるようになりました。僕は大学院に進学するので、就職するのが今から数年後になりますから、その頃にどれだけの仕事が機械化されているのか、なおさら興味があります。そこで調べてみようと思ったのがＡＩによる「自動運転」の話です。

茨城県境町(さかいまち)が日本の自治体で初めて「自動運転バス」を導入したというニュースを見て、ついに「自動運転」が実用化されたのかと、ビックリしたことを覚えています。

二〇二〇年一一月の導入から約一年が経過した段階で、とくに事故や大きなトラブルはなかったようです。当初は平日のみの運行だったものが、二〇二一年八月からは土日も運行し、路線も拡大されて、現在の停留所は二六カ所になっています。運賃は、境町が負担して無料だということですから、町民にとっては、ありがたいことでしょう。

境町は、「世界最高技術水準」と評価されているフランスの「ナビヤ（ＮＡＶＹＡ）」社の自動運転電気バス「アルマ（ＡＲＭＡ）」を三台購入し、「さかいアルマ」と名付けています。このバスは、堺町の役場・郵便局・病院・銀行・小学校・高速バスターミナル・観光施設などを通る往復約六〜八キロメートルの路線を時速二〇キロで走行します。

「さかいアルマ」の運営を境町から委託されているボードリー株式会社は、バス路線の「高精細3Dマップ」からバスが走行する「運行ルート」を作成します。そこで重要になるのが、バスの位置をリアルタイムで正確に把握することです。

位置測定といえば、スマホなどにも搭載されている「全地球測位システム(GPS：Global Positioning System)」がよく知られていますが、GPSは状況によって数メートル以上の誤差が生じることがあり、とても自動運転には使用できません。

そこで開発されたのが「光による検出と測距(LiDAR：Light Detection and Ranging)」と呼ばれる光を用いたリモート・センシング技術の応用です。自動運転バスは、車体を中心に三六〇度パルス状にレーザーを照射し、その散乱光を測定することによって、障害物の位置や距離、その対象が人間なのか自転車なのかなどを分析します。その状況は、遠距離から数センチメートルの誤差範囲内でモニタリングできます。

境町の場合、「河岸の駅さかい」のオペレーション・ルームでオペレーターがバスの運行状況をモニターし、さらにセーフティ・ドライバーが同乗してコントローラーで操縦します。

現在の「さかいアルマ」は、路上駐車などの障害物があるとビープ音を発して自動停止する仕組みになっているため、それをセーフティ・ドライバーが再発進させるわけです。また、信号機があると、青でも一旦停止するため、その都度ドライバーが再発進させています。

要するに、「さかいアルマ」は、予め設定された「見えないレール」の上を低速で走行する電車のような自動運転バスで、信号や障害物があると自動停止する仕組みになっているため、セーフティ・ドライバーの同乗が不可欠というのが現状です。

近い将来、信号機から「何秒後に色が変わる」という情報を自動運転車に送信できるようになれば、セーフティ・ドライバーの介入は、子どもや自転車の飛び出し、追い越しや対向車が車線をはみ出した場合などに生じる急停車時に限られるそうです。

ただし、現在の「さかいアルマ」はコスト・パフォーマンスが悪すぎるという批判もあります。そもそも境町の人口約二万四〇〇〇に対して、境町が五年計画で自動運転車のために組んだ予算が五億二〇〇〇万円（その内、一億五〇〇〇万円が車両三台の購入費）です。自動運行には、システム設計・運営やオペレーターとセーフティ・ドライバーの人件費などが必要なので、ここまで膨れ上がったわけです。

境町の報告によれば、二〇二〇年一一月二六日に自動運転バスの運行を開始し、八カ月間に、延べ約三一〇〇人の乗客が利用したそうです。仮に、この利用比率が続けば、五年間の利用総数は、延べ二万三二五〇人の計算になりますから、乗客一人の利用に二万円も掛かる計算になります。

しかも、「さかいアルマ」は、制限速度三〇キロの一車線道路を時速二〇キロでノロノロと走るので、急いでいる自家用車やタクシーが追い抜いていき、その都度バスが急停車している状況です。現状からすれば、普通のワンマン・バスを走らせるほうが、遥かにコスト・パフォーマンスもサービス内容もよいはずです。

一方、いずれにしても「さかいアルマ」は、すでに自動運転レベル3からレベル4に達しているという見解もあります。つまり、完全自動運転を意味するレベル5の一歩手前と評価し、ＡＩによる完全自動運転に近づいてきているのだから、初期費用が掛かっても仕方がないという擁護意見もあるわけです。

僕が問題提起したいのは、「ＡＩに自動運転を任せてよいのか？」ということです。

**教授**　D君、どうもありがとう。境町で運用されている自動運転車の実情をよく調べて、わかりやすく発表してくれたね。

少し補足しておくと、今D君が触れた「自動運転レベル」というのは「米国自動車技術者協会（SAE：Society of Automotive Engineers）」がレベル0からレベル5までの六段階に区分した自動運転レベルのことだ。

レベル0の「運転自動化なし」は、ドライバーがすべての運転を行うこと。「速度超過警告装置」のように、制限速度を超えたときにドライバーに警告するとはいえ、速度制限を守るか否かの判断がドライバーに任されるようなシステムは、まだこの段階とみなされる。

レベル1の「運転支援」は、システムがアクセル・ブレーキ操作あるいはハンドル操作のいずれか一方の車両制御を実行すること。たとえば、車両の速度を自動的に制限する「自動速度制御装置」や「衝突被害軽減ブレーキ」あるいはセンサーで車両の周囲を確認し安全に車線変更できるよう支援する「車線変更支援」などの一方だけを備えた車を指す。

レベル2の「部分運転自動化」は、システムがアクセル・ブレーキ操作およびハンドル操作の両方の車両制御を実行すること。たとえば、前走車に追従する「アダプティブ・クルーズ・コントロール」と車線内走行を維持する「レーン・キープ・コントロール」の両方を備えた車を指す。

この段階でも、ドライバーは周囲の状況を常に監視し続けなければならないが、整備された高速道路のように一定の速度で車線内を走行する際には、一時的にハンドルから手を離すことができる。したがって、ドライバーの「ハンズオフ」が可能な段階といえる。

レベル3の「条件付運転自動化」は、限定された条件下でシステムがすべての車両制御を実行すること。この段階でもドライバーの同乗が必要で、システムが警告を発した際には、ドライバーが迅速に対処しなければならない。ただし、この段階になると、ドライバーが運転状況から目を離すこともできる「アイズオフ」が可能な段階といえる。

レベル4の「高度運転自動化」は、限定された地域においてシステムがすべての車両制御を実行すること。たとえば、自動運転車専用道路における自動走行や一定の地域内だけ低速で走行するケースなどで、万一の場合も遠隔操作で対処する。この段階になると、ドライバーが乗車して運転操作をする必要がなくなるので、「ブレインオフ」と呼ばれる。
そしてレベル5の「完全運転自動化」は、すべての意味においてシステムが全自動的に車両制御を実行すること。この車は、ドライバーの運転操作が完全に不必要になるため、従来のアクセル・ブレーキ・ハンドルなどの装置そのものが存在しない、まったく新たなコンセプトのＡＩ車になるだろうと予測されている。

**文学部Ａ**　最近の自動車には、車両の前後にカメラが付いていて周囲をモニターできたり、それらの情報を利用して駐車場の空いた位置にスムーズに駐車させる「自動駐車装置」が付いていたりして、大変便利になったことは事実だと思います。
今後も、そのような意味でドライバーの運転を支援する性能は進歩していくことと思いますが、その段階からドライバーが同乗する必要がなくなるレベル4までには、大きな隔たりがあるように感じます。というのは、運転にはどうしても人間のドライバーの存在が欠かせないと私は考えるからです。

ですから、私は、ＡＩが人間と同じような意味で自動運転するというレベル５の考え方には、非常に違和感を覚えます。悲観的で申し訳ないのですが、私は、そんな完全自動運転車のようなものは、永久に完成しないのではないかと思っています。

もしそのような完全自動運転車があったら、その車を支配するＡＩは、たとえば子どもや自転車が道路に飛び出してきたり、対向車が道路をはみ出してきたり、あるいは山道で急な落石があった場合のように、ありとあらゆる状況において、人間と同じように判断できるということになりますよね？

そのような判断のできるＡＩを創り出すということは、すなわち人間と同じレベルのロボットを創造するのと同じことを意味します。それは、とてつもなく難しいのではないでしょうか？

以前、先生の「論理的思考法」の授業で「トロッコ問題」の現代版として自動運転車にどのような倫理観をインプットすべきかという問題を扱ったことがあります。

自動運転車が時速六〇キロで走行していたところ、その七メートル先に、突然五人の子どもたちが交通ルールを無視して、ボールを追いかけて飛び出してきたとします。自動運転車は即座に急ブレーキをかけますが、そのまま直進すれば五人に衝突することは避けられません。

そこで、自動運転車は二メートル先の別の道に曲がろうとしますが、その道には横断歩道があって、二人の老夫婦が青信号で手を挙げて渡っています。自動運転車はどうすればよいのか？　功利的に五人の若い命を救うために老夫婦二人に衝突すべきだという考え方と、道徳的に交通ルールを守る老夫婦を犠牲にすべきではないという考え方で討論になりました。

私は、もし自分が車を運転していて、そのような状況になったらどうするべきか、ずっと考えていたのですが、結局、答えは出ませんでした。交通ルールは遵守すべきなので、ルールを破って飛び出してきた五人の方に突っ込んでもやむを得ないと思う反面、もし実際に目の前に五人の子どもがいたら、反射的にハンドルを切って、老夫婦二人のほうに突っ込むかもしれません。

いずれにしても、その場合は刑事と民事で裁判になるでしょうし、やむを得ない状況だとはいえ、人を傷つけてしまった以上、何らかの責任は私が負うことになります。しかし、

AIに「責任」を負うことはできるのでしょうか？

仮にこの事故で子どもあるいは老夫婦を亡くした家族がいるとして、私という人間のやむを得ない判断に基づく結果であることをわかってもらえたら、辛くとも事情を把握してもらえるだろうと思います。しかし、もし最初から多人数のほうを救うべきだとか、あくまで交通ルールだけを優先するといったインプットに基づくAIの判断による結果だとすると、遺族は納得できないのではないかと思います。


**法学部B**　たしかにA子さんの言う通り、AIは責任を負うことができないので、僕は、そのような事故が起こったら、結果的にそのAIをプログラムした会社に責任が生じるのではないかと考えていました。

そう思って調べてみたら、二〇一八年三月一八日、アメリカのアリゾナ州テンピで、配車サービスのウーバー・テクノロジーズが試験走行していた自動運転車が、歩行者をはねて死亡させた事件がありました。

亡くなった四九歳の女性は、横断歩道ではない場所で自転車を押しながら、道路を渡っていました。自動運転車のＡＩは、この自転車と女性を「静止物体」と認識したため、その動きを感知できず、衝突の危険性を判定できなかったため、警報を発しませんでした。

この車にはセーフティ・ドライバーが乗っていたので、前方を注意していれば、簡単に回避できたはずの事故でした。ところが、このドライバーは自動運転車を「自動運転モード」に設定したまま、スマートフォンでテレビ番組を見ていたのです。

二〇二〇年九月一五日、アリゾナ州検察当局は、このセーフティ・ドライバーを「過失致死罪」で訴追しました。これに対して、セーフティ・ドライバー側は、警報を発しなかったＡＩの判断が間違いだと無罪を主張しています。この裁判は二〇二一年二月に始まっています。

いずれにしても、そこで驚いたのは、検察当局がウーバー・テクノロジーズには「刑事責任を問わない」と表明したことです。おそらくアリゾナ州法にはＡＩに対する訴追条項がなく、これはアメリカの連邦法や世界の法体系でも同じことでしょう。したがって、今後ＡＩが人間と同等の判断をくだすようになれば、当然ＡＩに対する法的責任を明確化する必要があると思います。

日本では、あくまでドライバーによる手動運転がメインであるとはいえ、「条件付運転自動化」のレベル3に対応するため、二〇二〇年四月に「道路交通法」と「道路運送車両法」の改正法が施行されました。

自動運行装置は「プログラムにより自動的に自動車を運行させるために必要な、自動車の運行時の状態及び周囲の状況を検知するためのセンサー並びに当該センサーから送信された情報を処理するための電子計算機及びプログラムを主たる構成要素とする装置」であり「自動車を運転する者の操縦に係る認知、予測、判断及び操作に係る能力の全部を代替する機能を有し、かつ、当該機能の作動状態の確認に必要な情報を記録するための装置を備えるもの」と規定されています。

改正法によれば、自動運転システム作動時、ドライバーは車両周辺の監視を行う義務を免除されます。ただし、システムから運転の要請があった際には、ただちに運転操作に戻れることが条件となっています。

ここで僕が大きな問題だと思うのが、アリゾナ州の例のように、自動システム作動中にドライバーが車両周辺の監視を行わず、さらにシステムからの警報もない状況で、自動運転車が人身事故を起こしてしまうケースです。

というわけで、レベル3以上の自動運転に対する法的責任をもっと明確に整備しない限り、安易にＡＩに自動運転を任せるべきではないと僕は考えます。

**経済学部C**　私も、B君が言うようにＡＩに関する法律はしっかり整備しなければならないと思います。それに、A子の話に出てきた「トロッコ問題」のような「究極の選択」が生じたら困るという意見もわかります。

ただ、そのような事態になったら、人間であろうとＡＩであろうと、誰もが納得するような判断はありえないでしょうから、そのような事態が生じないように交通環境を整備すべきなのではないでしょうか？

たとえば、道路沿いに防護柵を設置して子どもが道路に飛び出さないようにするとか、自転車専用道路を増やすとか、中央分離帯を設置して車が対向車線にはみ出さないようにするなどして、歩行者と自転車と自動車の配置が完全に安全な場所でしか、自動運転車を走らせないようにすればよいと思います。

私自身は、楽観的過ぎるかもしれませんが、ＡＩに自動運転を任せられるようになれば、メリットはたくさんあると感じています。

私の家は、伊豆に別荘があるので、よく週末に家族で出掛けるんですが、せっかくランチタイムに皆で美味しい料理を食べても、父は運転しなければならないので、大好きなワインを飲めません。でもＡＩに自動運転を任せられるようになれば、飲酒も気にすることはないし、周囲の景色を楽しんだり、車内で映画を観ることもできるでしょう？

家族で電車の個室に座っているような環境で、しかも行きたい所に動けるわけですから、もしそんなＡＩによる完全自動運転車が実現したら、すばらしいことだと思います。

**医学部Ｅ**　僕も、いずれはＡＩに全面的に自動運転を任せなければならない時代が到来するに違いないと思います。というのは、実は、現在の交通事故の大部分は「人為的ミス」から生じていることがわかっているからです。
人間の両眼は基本的に前方しか見えないし、いくらベテランの運転手でも、視覚には何カ所かの「死角」があります。ＡＩの自動運転車は、車を中心に周囲三六〇度の情報を得ることができるし、ＡＩが脇見運転するようなこともないし、他のＡＩ自動車とうまく連携できれば、高速道路の渋滞なども解消していくでしょう。

もちろん、どんな時代になっても、自分で車を運転したいドライバーは存在するでしょうし、その選択の自由は確保されるべきだと思います。でも、C子さんの家族のようなケースでは、ＡＩによる自動運転車のほうが家族全員で楽しめるはずです。

ＡＩ化の波は、すでに押し寄せてきています。日本自動車工業会によれば、二〇一八年に販売された新車のうち「衝突被害軽減ブレーキ」を装備した車は八四・六％でした。国土交通省は、以前から二〇二〇年までに装着率を九〇％以上にするという目標を掲げ、二〇二一年一一月からは「衝突被害軽減ブレーキ」装備が「義務化」されています。この対策によって、いわゆる追突事故は大幅に減少するものと思われます。

たしかにA子さんが指摘しているように、このような「部分運転自動化」に関わる機能と、ＡＩがアクセル・ブレーキ操作とハンドル操作の全般を判断しながら行う「完全運転自動化」の間には、大きなギャップがあります。しかし、そのギャップも科学技術の発展により解消されていくものと思います。

僕がそのように予測する理由は、次のような事例があるからです。そもそもコンピュータが進化して「ポスト・ヒューマン」の時代が来ると二〇〇五年に予測したのは、人工知能研究の第一人者として知られるアメリカの発明家レイ・カーツワイルでした。

彼の先見性を示す有名なエピソードがあります。一九九一年にヒトのすべての遺伝情報である「ヒトゲノム」の三〇億を超える塩基配列を解読する国際協力作業が始まりましたが、七年が経過した一九九八年になっても解読されたのは一％に過ぎませんでした。そのため、多くの遺伝子学者が「このままでは作業終了までに七〇〇年かかる」と落胆していました。この状況は、ＡＩによる「完全運転自動化」は程遠いと批判している現在の人々の発想に似ています。

ところが、当時のカーツワイルは、「一％終わったということは、ほとんど作業は終了したと言ってもいいだろう」と述べて周囲を驚かせました。彼は「解読作業は毎年、指数関数的に速くなるから、二年目には二％、三年目には四％、四年目には八％と進む。だから、あと七年もすれば解析は終わるはずだ」と予測しました。そして、二〇〇三年、カーツワイルの予測よりも二年早く、「ヒトゲノム解読完了宣言」が出されたわけです。

　カーツワイルの主張は、「収穫加速の法則」に基づいています。ある重要な発明が行われると、それは他の発明と結び付き、次の重要な発明の登場までの時間を短縮させます。したがって、科学技術が指数関数的に進歩すると、収穫までの時間も指数関数的に速くなるわけです。

　現在のＡＩによる自動運転はレベル３程度でしょうが、これから指数関数的にさまざまな技術が結び付けば、思ったよりも早くレベル４やレベル５が出現するのではないかというのが、僕の予測です。

　むしろ、その急速な科学技術の進歩に負けないように、ＡＩに関する法律や共存の哲学などを定式化することのほうが喫緊（きっきん）の課題だと考えます。

## 第4章1　一緒に考えてみよう

1　読者は、理学部Dの発表と教授の補足を基盤として、文学部A・法学部B・経済学部C・医学部Eの中では、誰の見解に最も賛同しますか？

2　それはなぜですか？　読者は、どのような価値観に最も共感したのでしょうか？

3　読者は、ＡＩに自動運転を任せてよいと考えますか？

## 2　AIに倫理を組み込めるのか？

**教授**　「ＡＩに自動運転を任せてよいのか？」という問題に対する皆の見解を聞いて、発表者のＤ君は、どう思いましたか？

**理学部Ｄ**　正直に言うと、僕は内心では、いずれ科学技術が進歩すればＡＩに自動運転を任せるのは自然に解決される問題だろうと楽観視していました。しかし、皆の意見を聞いているうちに、それ以前に議論すべき問題が多々あることを再認識しました。とくに、法的および倫理的な問題は、容易には解決できないのではないかとさえ思えてきました。

ＡＩの倫理問題について検索したところ、ドイツを代表する自動車メーカーのメルセデス・ベンツの技術者が、自動運転車は「搭乗者の安全性を最優先する」という見解を発表したため物議を醸(かも)したという記事が出てきました。

この記事の出所を追跡していくと、二〇一六年一〇月に開催されたパリのモーターショーの会場で、メルセデス・ベンツの運転支援・予防安全システムの技術責任者クリストフ・フォン・フーゴーが受けたインタビューが初出だとわかりました。

彼は、メルセデス・ベンツの自動運転車が避けられない衝突事故に対してどのように対処するのかという質問に対して、「少なくとも一人を救えるとわかったら、少なくともその一人を助ける。車の搭乗者を助ける(If you know you can save at least one person, at least save that one. Save the one in the car.)」と答えています。

ここで想定されているのは、ブレーキの故障した自動運転車が、歩行者に衝突するか、歩行者を避けて障害物に衝突して搭乗者が被害を受けるか迫られる「トロッコ問題」の状況です。要するに、歩行者か搭乗者のどちらかを選択する二者択一の局面では、どれだけのダメージを与えるか予測できない歩行者よりも、確実に救うことのできる搭乗者のほうを優先すべきだと彼は答えたわけです。

ただしフーゴーは、その種の二者択一は科学技術によって九九%防ぐことができるものであり、未来社会では、そのような場面に遭遇する可能性は非常に低くなるはずだとも述べています。

しかし、彼の「搭乗者優先」発言はマスコミに大きく取り上げられ、とくにドイツ国内で大きな議論が巻き起こりました。この議論を総括する形で、二〇一七年六月、「ドイツ連邦デジタル・交通省（BMDV：Bundesministerium für Digitales und Verkehr）」が「自動運転車およびコネクテッドカーに関する倫理規定」として、二〇のルールを公表しました。

この中でとくに注目されるのは、第九ルールに「避けられない事故の状況下では、いかなる個人的特性（年齢、性別、身体あるいは精神状態）に基づく差別も厳重に禁止する。犠牲者を比較するようなことも禁止する（In the event of unavoidable accident situations, any distinction based on personal features〔age, gender, physical or mental constitution〕is strictly prohibited. It is also prohibited to offset victims against one another.）」と明記してあることです。

つまり、犠牲者を個人的特性によって差別してはならず、また犠牲者が搭乗者か歩行者かで比較してもならないと述べているわけです。おそらくドイツ連邦デジタル・交通省は、メルセデス・ベンツの「搭乗者優先」発言を打ち消す意図もあって、すべての人間を完全に「平等」に扱うというルールを設定したのでしょうが、このルールはあまりにも非現実的ではないでしょうか？

そう思って、さらにネットで調べてみたところ、「モラル・マシン（Moral Machine）」という興味深いクイズ形式アンケートのあることがわかりました。このアンケートは、すべて「Aを犠牲にしなければBが助からない」という二者択一の状況で、どちらを選ぶかを答えていく形式になっています。

たとえば、自動運転車のブレーキが故障して、直進すると「三人の老人が轢かれて死亡」し、避けて右の道路に進むと「大人二人と子ども一人が死亡」する状況になっています。このどちらかの画像を選んでクリックする仕組みです。

さらに、歩行者が「交通ルール」を守って青信号で渡っているか、赤信号なのに無視して渡っているか、衝突した影響も「死亡・ケガ・未確定」の段階に分かれていて、その説明を見ながら回答する形式になっています。

一回のクイズあたり一三種類のシナリオの質問に答えていくと、結果的に自分が「男性・女性」、「高齢者・乳幼児」、「経営者・犯罪者」、「犬・猫」などの組み合わせにおいて、何を優先して助けてきたのかがわかります。

僕もやってみたのですが、たった一三種類のシナリオでも、かなり考えさせられて、非常に疲れました。現実世界は、この「モラル・マシン」よりもさらに複雑ですから、AIに倫理を組み込むことができるのか、わからなくなってきました。

**教授**　「モラル・マシン」といえば、二〇一六年にマサチューセッツ工科大学のコンピュータ科学者エドモンド・アワッドの研究チームが立ち上げたプラットフォームでね。

彼らは、世界中の倫理動向を研究するために、「モラル・マシン」の英語・アラビア語・中国語・フランス語・ドイツ語・日本語・韓国語・ポルトガル語・ロシア語・スペイン語の一〇言語バージョンを発表した。すると、ネット上で大きな反響が巻き起こり、一八カ月の間に世界二三三の国と地域から約四〇〇〇万件もの回答を得ることができた。

アワッドらは、それらの回答を統計的に分析して『Nature』二〇一八年一一月号に発表した。比較文化論的に非常に興味深いのは、この論文が、世界の人々が何を優先して生存者と犠牲者を決めているのかを詳細に分析している点だ。

具体的には、アワッドらは、次の九つの基準となる指標を設定している。

（1）生存者と犠牲者の数
（2）性別
（3）年齢（乳幼児／子供／大人／高齢者）
（4）種（人間／犬／猫）
（5）健康状態（アスリート体型／肥満体型）
（6）社会的地位（会社経営者／医師／ホームレス／犯罪者）
（7）搭乗者／歩行者
（8）交通規則の順守
（9）介入傾向（車の進路を変更する／しない）

その結果、世界の人々は、ほぼ共通して次の三つの根本的な傾向を示すことがわかった。

（1）動物よりも人間を優先すること
（2）少人数よりも多人数を優先すること

（3）年齢が高い者よりも低い者を優先すること

しかし、それ以外の傾向については、国々で大きく分かれていた。この論文では、それらの回答の傾向が世界で大きく三つのパターンに分かれると分析している。

（1）西側諸国（アメリカやヨーロッパ諸国、キリスト教の影響が大）
（2）東側諸国（日本や東アジア諸国、儒教・イスラム教の影響が大）
（3）南側諸国（フランスや中南米諸国、ラテン系の旧フランス植民地）

たとえば、西側諸国は、多人数を優先し現状維持して車の進路を変更しない傾向が強い。東側諸国は、歩行者・交通ルールを守る人を優先する傾向が強い。南側諸国は、女性・若年層・高い地位の人を優先する傾向が強い。

日本に特化して言えることは、世界で最も「助ける人の数」を重視せず、「歩行者」を優先する傾向が強かったことだ。つまり、日本人は人数よりも弱者、そして交通ルールを優先する。一方、世界で最も「助ける人の数」を重視するのはフランスで、高齢者よりも若年者を助ける傾向も強い。

論文執筆者の一人で、現在はマックス・プランク人間発達研究所のコンピュータ科学者イヤード・ラフワンは、「この結果は、自動運転車のための完全で普遍的なルールは存在しないことを示している」と述べている。

**文学部A**　私は、今伺った「自動運転車のための完全で普遍的なルールは存在しない」という結論に賛同します。

そもそも人間の世界でさえ、普遍的な倫理観が確立されていないのですから、それをAIに組み込むことなど不可能ではないでしょうか？

倫理観と言えば、以前の「哲学ディベート」で、「人にせられんと欲することは、人にもまたその如(ごと)くせよ」という聖書の『マタイによる福音書』（第七章第一二節）に登場する「黄金律」を議論したことがありました。

「あなたが人からしてほしいと思うことを、あなたも人にしなさい」という教えで、当初私は、これはとてもよい教えだと思っていました。もし世界中の人々がこの教えに従って生きていたら、お互いがお互いを思いやって、全員が助け合うことになり、紛争のない平和な社会が実現するのではないかと思ったからです。

しかし、よく考えてみると、この考え方には大きな欠陥のあることがわかります。というのは、「あなたが人からしてほしいと思うこと」を決めるのは「あなた」ですから、それを「あなた」が人にするとなると、必ずしもされた人が愉快になるとは限りません。人に愛されたいから自分も人を愛するとか、人に優しくしてほしいから自分も人に優しくするといった行動ならばうまくいくかもしれませんが、自分が人に構ってほしいから、自分も人に構うとなると「おせっかい」になる可能性もあるでしょう?

もっと突き詰めると、「あなたが人からしてほしいと思うこと」という部分は、「あなた」がよいと思うことであれば、何でもよいことになります。そうなると、黄金律というのは、結局は「何でもいいから、あなたがよいと思うことを人にしなさい」と同じ意味になる可能性もあると思います。

「モラル・マシン」の論文で分析された「西側諸国」の多くの人々は、キリスト教の影響で「黄金律」を信じている可能性が高いかもしれません。そのような倫理観で設計されたＡＩ自動運転車が「東側諸国」や「南側諸国」に輸出されて何らかの事故が生じたら、その判断は、それらの国々では受け入れられないのではないかと思います。

**法学部Ｂ**　僕も「哲学ディベート」の議論を思い出しました。

ここ数年、自殺願望があるのに自分ではその勇気がなくて、死刑にしてほしいからと、まったく罪のない赤の他人を殺傷するような犯罪者が増えています。この犯罪者は、自分が人に殺してほしいから、人を殺したわけですから、その意味では、完全に「黄金律」の論理に当てはまっていることになります。

僕が共感するのは、キリストの「黄金律」と似ているのですが、孔子の『論語』に登場する「己の欲せざるところ人に施すことなかれ」(顔淵第一二巻・衛霊公第一五巻)のほうですね。つまり、「あなたが人からしてほしくないことは、あなたも人にしてはいけません」という教えです。

「黄金律」の「人にしなさい」というのは、どうも押し付けがましいけれども、自分が人にされて嫌なことは人にもするなというのは、現代社会にとっての一般常識でもあると考えます。

とはいえ、「あなたが人からしてほしくないこと」を決めるのも「あなた」なので、結局「あなた」がしてほしくないと思うことであれば、何でもいいわけですよね。そうなると、孔子の教えも「何でもいいから、あなたがよくないと思うことを人にしてはならない」と同じことになってしまう。

もし自分は人から何もしてほしくないと思う人がいたら、その人は人に何もしないことになります。さらにこの教えを厳密に守ろうと思えば、他者に対しては、いっさい何もできなくなるかもしれない。

論理的に考えてみると、キリストの「黄金律」にしても孔子の『論語』にしても、実は暗黙の前提があるわけです。それは「あなたが他人からしてほしいこと」と「他人があなたからしてほしいこと」が一致し、「あなたが他人からしてほしくないこと」と「他人があなたからしてほしくないこと」が一致するということです。

したがって、これらの教えは、文化的に共通点の多い均質な社会集団では受け入れられるかもしれませんが、個人的な判断基準の相違や極限状況などでは、必ずしも成立しないわけです。

「モラル・マシン」の実験から明らかなように、世界各国の宗教的あるいは文化的背景や、政治や経済状況などの要因が倫理感に深く影響しています。世界の人間同士でさえ倫理観は異質なのですから、これを「自動運転車」に組み込むことは不可能だと思います。

**経済学部C** 私は、「自動運転車のための完全で普遍的なルールは存在しない」という結論は、少し極端すぎると思います。

そもそも「モラル・マシン」のアンケートに応じた四〇〇〇万件という回答数は、たしかに膨大だとは思いますが、回答者はネットに繋がる余裕と能力があって、しかも匿名の人たちばかりですよね？　もしかすると、大部分は若者で、男性が中心かもしれないし、どちらかというと金銭的余裕がある人ばかりかもしれません。つまり、データ自体が偏っている可能性があるということです。

しかも、このアンケートでは、現実世界で起こりえないような極端な二者択一を一三種類ものシナリオで選択させるわけですから、D君のように真面目で一生懸命な人は疲れると言っていたけど、途中から適当に答えるような人も多いのではないかしら？　もし「モラル・マシン」のデータに意味がなければ、それを分析した論文は、いくら『Nature』に掲載されたといっても、世界各国の倫理観を明確に測っているとは断定できないと思います。

私は、「自動運転車」の「完全で普遍的なルール」というのは、何もそれほど難しいものではなく、単純に人間のドライバーと同じルールだと思います。要するに、交通ルールを遵守し、無事故・無違反を心掛け、もし避けられない事故になったとしても被害を最小限に抑えること。ですから、A子とB君の話に出てきた「黄金律」や「論語」まで話を広げる必要はないと思います。

私の父は三〇年以上の運転歴があって、ゴールド免許保持者ですが、これまで一度も「トロッコ問題」のように難解な選択を迫られたことはないそうです。たまに狭い道や繁華街で自転車やバイクが飛び出てきてヒヤッとすることはあるそうですが、周囲をよく注意して、信号を守り、車間距離を取って運転していれば、大きな問題は起きないと断言しています。

前回のセミナーでも話しましたが、自動車専用道路と歩行者専用道路を分けるとか、歩行者用の歩道橋や地下通路を増やすとか、そもそも事故が起こりにくい都市の交通環境を整備できれば、自動運転車に複雑な倫理観を組み込む必要はないと思います。

**医学部E**　僕も、どちらかというとC子さんの意見に賛成ですね。

二〇一三年、オックスフォード大学の経済学者カール・フレイとマイケル・オズボーンが「雇用の未来――いかに職業はコンピュータ化の影響を受けるか」という論文を発表しました。この論文は、アメリカ合衆国の労働省が定めた七〇二の職種を「クリエイティビティ・社会性・知覚・細かい動き」といった項目ごとに分析し、米国の雇用者の四七％が一〇～二〇年後には職を失うと結論づけています。つまり、二〇年後までに人類の仕事の約五〇％がＡＩないしは機械によって代替され消滅すると予測しているわけです。

前回、発明家レイ・カーツワイルの「収穫加速の法則」に触れましたが、ある重要な発明が行われると、それは他の発明と結び付き、次の重要な発明の登場までの時間を短縮させます。したがって、科学技術が指数関数的に進歩すると、収穫までの時間も指数関数的に速くなるわけです。

そこからカーツワイルは、「二一世紀には二万年分の進歩が生じる」と予測しています。信じられないような数字ですが、もし「収穫加速の法則」が正しく、このまま科学技術が指数関数的に進歩すると、ある時点で限りなく「無限」に接近することになります。この「技術的特異点」は「シンギュラリティ」と呼ばれます。

驚くべきことに、カーツワイルは、二〇四五年にシンギュラリティに到達すると予測しています。なぜなら、その頃に一〇〇〇ドル程度で販売されるコンピュータの演算能力が、人間の脳の一〇〇億倍になると想定されているからです。つまり、一〇万円程度のコンピュータが、全人類一〇〇億人の計算能力に匹敵する能力を持ってしまうわけです。

そうなると、ＡＩは、もはや人間には理解できない思考回路で相互に通信を開始してネットワークを構築し、自ら改善しながら増殖するようになり、それ以降の科学技術の進歩は、人類ではなく機械に制御されるようになるそうです。いわば「超越的知性」が出現するわけですが、その先は、カーツワイルにさえ予測できないということです。

生命進化の過程を機械に組み込む「遺伝的アルゴリズム」の先駆的研究で知られるヒューゴ・デ・ガリスによれば、今世紀中に、ＡＩの能力はヒトの「一兆倍の一兆倍(一〇の二四乗倍)」になるそうです。ここまでくると、「超越的知性」というよりは、もはや「神に近い機械(Godlike machine)」ということになります。

一方、「シンギュラリティ」など生じないという反論もあります。そもそも「コンピュータの演算能力が人間の脳の一〇〇億倍」になったとしても、それは単に「演算の数」が増えただけではないかと考えるわけです。

囲碁や将棋やチェスのようなボードゲームでは、あらゆる手の組み合わせを検証する「演算の数」が非常に重要ですから、人間がＡＩに勝てなくなることは明らかでしょう。しかし、いくら演算能力が高くても、ＡＩには「意思」や「感情」がありません。

ハーバード大学の認知科学者スティーブン・ピンカーは、ＡＩやロボットが、あくまで「人工物」であることを忘れてはならないと述べています。「人工物」は、人類が長い進化の過程で取得した繁殖欲求や闘争意欲、快楽欲や権力欲といった本能を持ちません。ですから、仮に人間を全面的に超えるＡＩが出現したとしても、それが自己改善と自己複製を繰り返して「超越的知性」に達するようなことはないと主張しているわけです。

　さて、話を元に戻しますが、もし「超越的知性」が生じたら、世界の人間の倫理観などもアルゴリズムにして簡単に組み込むことができるでしょう。もしそこまでの進化がないとしても、「自動運転車」のルールは「超越的知性」などよりも遥かに原始的な交通ルールです。青信号は進む、黄色信号は注意、赤信号は停止といったアルゴリズムは、むしろボードゲームのルールに近い感覚でプログラムできると思います。

　したがって、いずれにしてもＡＩに倫理を組み込むことのできる日は近いというのが僕の印象です。

**教授**　「ＡＩに自動運転を任せてよいのか？」という問題から「ＡＩに倫理を組み込めるのか？」という「超越的知性」の哲学的議論が抽出されました。非常に難しい問題ですが、この哲学ディベートを契機として、改めて君たち自身で考えてみてください。

## 第4章2　一緒に考えてみよう

1　読者は、理学部Dの発表と教授の補足を基盤として、文学部A・法学部B・経済学部C・医学部Eの中では、誰の見解に最も賛同しますか？

2　それはなぜですか？　読者は、どのような価値観に最も共感したのでしょうか？

3　読者は、ＡＩに倫理を組み込めると考えますか？

# 第5章　異種移植とロボット化

## 1　ブタの心臓をヒトに移植してよいのか？

**教授**　本日のセミナーを始めます。テーマは「遺伝子操作と異種臓器移植の選択」です。遺伝子操作といえば、かつては植物や動物の品種改良や「遺伝子組み換え食品」への応用が主流でしたが、二一世紀に遺伝子配列を編集する先端技術が確立されて以降、次第に人間の難病治療にも応用されるようになってきました。

今日は、これから医学部のE君に「ブタの心臓をヒトに移植してよいのか？」という問題を提起してもらいます。その後で「哲学ディベート」を行いますから、どのような論点から肯定あるいは否定するか、頭の中でよく整理しながら聴いてください。

**医学部E**　それでは、発表いたします。

二〇二二年一月七日、アメリカのメリーランド大学医学部のバートリー・グリフィス教授とムハンマド・モヒウディン教授を中心とする五〇人の研究チームが、遺伝子操作したブタの心臓をヒトに移植する手術に初めて成功したと報じられました。

移植を受けたディビッド・ベネットは、重度の心不全と不整脈のため長期にわたって「体外式膜型人工肺（ECMO：Extracorporeal Membrane Oxygenation）」を使用してきた五七歳の男性です。症状が重すぎるため、通常のドナーによる心臓移植の対象とは認められず、他の治療法でも回復が見込めない状況でした。

二〇二一年一一月、ベネットの容体は急激に悪化し、生命維持装置に繋がれました。一二月、「アメリカ食品医薬品局（FDA：Food and Drug Administration）」は、他に治療法のない人命救助に限って承認前の医療技術を運用する「人道的措置」として、メリーランド大学医学部から提出された「異種臓器移植手術」の申請を「緊急承認」しました。

ベネットは、手術前日に「この移植をするか、死ぬかしか、選択肢はない。私は生きたい。成功する確証がないことはわかっている。それでも、これが最後の選択肢だ」と決意を語っています。彼は、あらゆるリスクを承諾した上で、手術に臨みました。

午前八時に始まった手術は、午後五時まで続きました。グリフィス教授は、「移植したブタの心臓にヒトの血液を流す瞬間は、厳粛な気持ちだった。遮断器具を外して微量の電流で刺激すると、心臓が動き始めた。我々は皆、目に涙を浮かべ、手術室には畏敬の念が広がった。心臓が正常に機能し始めると、手術室は歓喜で一杯になった」と述べています。

手術から三日後の一月一〇日、ベネットの容体は安定し、心臓は極めて良好に収縮して自発呼吸が確認されたため、ＥＣＭＯが外されました。それから、すでに一カ月以上が経過していますが、メリーランド大学医学部のサイトを確認した限り、彼の容体に異変はない様子です（その後のベネットの容体については一七三ページ参照）。

今回の移植に使われたブタの心臓は、一〇カ所を遺伝子操作することによって、ベネットが「拒絶反応」を起こさず、またブタ由来の「内在性レトロウイルス」も除去されているため、ウイルスに感染することもありません。

世界には、心臓や肝臓、腎臓などの主要臓器に回復不可能な疾病を抱えて、臓器移植を待っている人々が溢（あふ）れています。アメリカ合衆国は、ドナーが多いことで知られていますが、それでも約一一万人の臓器移植待機者に対して、ドナーは約一万人にすぎません。

公益社団法人「日本臓器移植ネットワーク」によれば、日本では二〇二二年一月の一カ月間の移植希望登録者が一万五四七一人であったのに対して、移植を受けることができたのは四八人だけでした。

今後、メリーランド大学の方式を使って、ブタの遺伝子を操作して心臓や肝臓や腎臓をヒトに移植できるようになれば、多くの臓器移植希望者を救うことができるようになるでしょう。

しかし、その一方で、僕は医学を学んでいる立場ですが、最近の遺伝子操作の先端技術を知れば知るほど、本当にそこまでやってよいのか、倫理的に不安にさせられるような面も多々あります。

僕が問題提起したいのは、「ブタの心臓をヒトに移植してよいのか？」ということです。

**教授** E君、どうもありがとう。ごく最近に起こったメリーランド大学のニュースをよく調べて、わかりやすく発表してくれたね。

少し補足しておくと、ヒトに対する「異種臓器移植」の研究は、六〇年近く前から始まっている。ヒトに対する世界最初の「異種臓器移植」は、一九六三年にアメリカのテュレーン大学医学部の研究チームが行った。彼らは、回復の見込みのない六人の患者にチンパンジーの腎臓移植を試みたが、全員が「超急性拒絶反応」で亡くなった。

一般に「拒絶反応」とは、ヒトの体内に移植した組織を病原体と同じ異物と判断して攻撃する反応で、結果的に血栓や細胞壊死などが発生する。「異種臓器移植」のようなケースでは、ヒト同士の臓器移植に比べて、極めて激しい拒絶反応が最初の数分で生じるので「超急性拒絶反応」と呼ばれる。

その後、効果的な免疫抑制剤が開発されたため、一九九二年にポーランド人男性にブタの心臓、一九九三年にアメリカ人女性にブタの肝臓が移植されたが、長期的に「拒絶反応」を防ぐには至らず、二人とも亡くなった。

二〇〇二年一月、イギリスのバイオ企業「PPLセラピューティクス」社が、ヒトに拒絶反応をもたらすブタの臓器表面のタンパク質「アルファガラクトース」を生み出す遺伝子を破壊したクローンブタを生産した。これで「拒絶反応」は防止できることになった。

ところが、「異種臓器移植」には、もう一つ大きな問題があった。それは、E君の説明にも出てきたように、ブタの臓器に「内在性レトロウイルス」が存在することだ。「内在性レトロウイルス」とは、ブタの祖先がレトロウイルスに感染し、それが生殖細胞に入り込み、遺伝情報の一部として子孫に受け継がれているものを指す。

ヒトにブタの臓器を移植すると、ブタの「内在性レトロウイルス」の影響で免疫不全やガンなどを発症する可能性がある。もっと恐ろしいのは、これまでヒトの世界に存在しなかった新種のウイルスに変異して、その移植者から人類にウイルスが伝染する可能性があることだ。

この状況が大きく変化したのは、二〇一二年に「クリスパー（CRISPR）」と呼ばれるゲノム編集ツールが登場してからだった。「クリスパー」は、精度が高く安価なツールで、効率よく遺伝子を切り貼りして編集することができる。

二〇一七年、アメリカのバイオ企業「eGenesis」社が、「クリスパー」を使って、ブタの「内在性レトロウイルス」を除去することに成功した。今回のメリーランド大学の手術に使われたブタの心臓は、遺伝子配列から二五種類の「内在性レトロウイルス」を除去してある。

二〇二一年には、ニューヨーク大学で、五四歳の脳死患者に遺伝子を組み換えたブタの腎臓を移植する実験が行われた。この腎臓は、五四時間にわたって血中老廃物を除去し、尿を生成した。

これらの段階を経て、ついにブタの心臓がヒトに移植されたわけだ。医学関係者の間では、今回のチームの「異種臓器移植」成功は、ノーベル医学・生理学賞の対象になるに違いないとさえいわれている。


**文学部A**　もし私が重い心臓病に罹(かか)って、一年以内に移植しなければ助からないとします。ところが、臓器移植のウエイティング・リストには膨大な数の待機者が並んでいて、とても一年以内に移植を受けられない。そこで医師から「ブタの心臓を移植しますか」と宣告されたらどうするか?

私は「いいえ、結構です」と断ります。なぜ断るのか自分自身で考えてみたのですが、最大の理由は、「そこまでして生きたくはない」という点に尽きると思います。

ヒトは、先祖代々ヒトによって生み出され、一定の寿命で死んでいくように運命づけられています。もちろん、病気になれば普通に治療するでしょうし、ヒト同士で助け合って臓器を移植するところまでは理解できます。

しかし、ブタのような異種動物の心臓が自分の体内で動くということは、私にとっては、信じられないほど異様な感覚です。自分が自分でなくなるような、自分が何かに変身するような感覚というほうがよいかもしれません。

仮に手術が成功したとしても、その後、家族や友人が私を見る目も変わるでしょう。ブタの心臓を持った人間のことを、周囲の人々はどのように認識するのでしょうか?

しかも、「アメリカ食品医薬品局」にしても日本の厚生労働省にしても、「異種臓器移植を受けた患者は、生涯、経過観察を受けなければならない」と定めていますよね。つまり、手術後の生涯にわたって、私は一種の実験動物のような経過観察を受けて、おそらく完全に自由な生活は取り戻せないわけです。

私は、自分の心臓が停止する瞬間を自分の「死」と捉えています。その「死」を無理矢理に延期させること、とくに遺伝子操作や異種臓器まで用いて長引かせるようなことは、人間が踏み込んではいけない領域のように感じます。

法学部B　僕は、今回のメリーランド大学の手術成功は、先端医療技術がもたらしたすばらしい快挙だと思います。ただし、調べてみると、まったく別の倫理的な問題が浮上しているんですね。

実は、手術を受けたベネットは、過去に傷害で逮捕され、懲役一〇年の実刑判決を受けた前科者でした。結果的に彼は、六年間刑務所で服役した後、出所しています。

これはBBCニュースで報道されていることですが、一九八八年、ベネットは、当時の彼の妻がエドワード・シューメイカーという男性と仲良くしていることに嫉妬して激怒し、彼の背中を七回繰り返して刺しました。

脊髄を損傷したシューメーカーは車椅子で生活するようになり、二〇〇五年に脳卒中を発症し、二〇〇七年に四〇歳の若さで亡くなっています。被害者の姉レスリー・ダウニーは、「あの男が心臓移植を受けたと知って、頭にきた」と語っています。

彼女は、「ニュースでは、ベネットのことを、まるで英雄みたいに取り上げているけれど、彼はそんな人間じゃない」と激怒し、「医師は賞賛されるべきかもしれないが、ベネットは賞賛されるべきではない」と述べています。

医師団は、ベネットの犯罪歴を知らなかったらしく、また「患者の過去の経歴によって、治療に差別があってはならない」と声明を発表しました。しかし、ダウニーは「その心臓は、もっと助かるべき患者に提供されてほしかった」と主張し、「彼は人生二度目のチャンスを与えられた。でも、弟のエドワードは、そのチャンスもなく死んでしまった」と嘆いています。

つまり、この手術の成功によって、逆に傷つけられた遺族もいるわけです。ベネットは手術前に「生きたい」と言っていましたが、本来ならば彼の心臓は止まり、死すべき運命だったのかもしれません。その意味で、僕はA子さんの意見もよく理解できます。

いずれにしても、今回の手術は「アメリカ食品医薬品局」が「緊急承認」した特別なケースです。待機している患者をどのような基準で選んで、どのような順番で手術するのか。今後、このような「異種臓器移植」が一般に実施されるようになるまでに、しっかりとした法的な枠組みを構築する必要があると思います。

**経済学部C**　私は、「ブタの心臓をヒトに移植してよいのか?」という質問の回答は、完全に個人の自由だと思います。ブタの心臓を移植してでも生きたい人もいるだろうし、そこまでして生きたくないという人もいるでしょう。

それは、何も「異種臓器移植」だけに限った話ではなく、あらゆる医療方針で同じことが言えると思います。経済的に、全財産を費やしても一年でも寿命を延ばしたい人がいる一方で、自分は十分生きたからと延命治療を拒否して、家族に少しでも多くの遺産を遺そうとするような人もいます。

もし重い心臓病に罹ってブタの心臓を移植しなければ助からないとしたら、というA子の質問ですが、私だったら、年齢によって回答が異なってくると思います。もし二〇歳代や三〇歳代ならば、まだ人生を十分生きたとは思えないので、手術を受けると思います。

A子はセンシティブだから「ブタの心臓なんて！」と気にしているみたいだけど、そもそも私たちは、いろいろな料理で豚肉を食べているでしょう？　その栄養分が、私たちの血となり骨となり肉となっていくわけです。その意味では、私たちの心臓だって豚肉の栄養分から形成されたといえますから、直接移植しても、それほど本質的な差はないように思います。ちょっと乱暴かもしれませんが……。

でも六〇歳代や七〇歳代になっていたら、私はそれまでに十分満足したといえる充実した人生を生きていくつもりですから、あえて手術は受けないと思います。その時点では、A子と同じように、自分の心臓が止まれば、それが自分の死だと受け入れる準備ができていると思いますから。

今回のE君の発表で私が興味を持ったのは、なぜ他の動物でなくて、ブタなのかという点です。調べてみると、もともとブタは、人間が野生のイノシシを家畜化した動物で、紀元前から人間と非常に深い繋がりを持っています。

一般に、動物は家畜化されると原種が絶滅します。ウシやウマ、ヒツジやヤギのような家畜は、すでに原種が絶滅しています。ところが、ブタだけは、原種のイノシシが絶滅するどころか、いまだに生息数が多いという生命力の強い種だということがわかりました。

チンパンジーは「絶滅危惧種」に指定されるほど生息数が減少していますが、ブタは、免疫力が強く、さまざまな環境に適応できるため、世界中で飼育されています。しかも、類人猿以上に皮膚や臓器のサイズなどがヒトに近いそうですから、人類に対するブタの貢献は計り知れません。

メスのブタは、約一一四日の妊娠期間を経て、一回につき一〇頭以上の子ブタを産みます。とくに、ブタの中でも体重五〇～六〇キログラム程度にしか成長しないミニブタは、臓器のサイズが非常にヒトに近く、臓器提供用に遺伝子を操作したクローンブタの生育に適しているそうです。

「異種臓器移植」で大きな問題だった「拒絶反応」と「内在性レトロウイルス」の問題を遺伝子操作で解決できて、クローンブタも低コストで生産できるようになれば、世界の臓器移植待機者を救うことができます。私は、むしろ積極的にこの技術を推進すべきだと考えます。

**理学部D**　そのブタの話ですが、イスラム教では「不浄な動物」とみなされ、食べることはタブーです。したがって、イスラム教徒にとって、ブタの心臓を移植することなど、話題にするだけでもありえないことでしょう。

今回の手術で興味深いのは、中心となったメリーランド大学医学部の二人の教授のうち、ムハンマド・モヒウディン教授がイスラム教徒だということです。

モヒウディンは、パキスタンのカラチに生まれ、一九八九年にダウ医科大学医学部を卒業後、一九九一年に渡米しました。ペンシルベニア大学で臓器移植チームに加わり、二〇〇六年にメリーランド大学教授となった優秀な外科医です。彼は今回の手術について、「宗教において、人命を救うことほど崇高な行為はない」と主張しています。

それに対して、イスラム学者ジャベド・ガムディは、「今回の手術は、イスラム教徒として許されないものだ」と批判しています。一方、別のイスラム学者アッラーマ・ナクビは、「イスラム法に異種移植を禁じる規則はない」と擁護し、この手術を「医学上の奇跡」だと賞賛しています。つまり、イスラム学者の間でも両極端に意見が分かれているわけです。

僕自身は、他に救命手段がなければ、ブタの心臓をヒトに移植することに何の問題もないと考えています。ただし、「異種臓器移植」が先進国で行われるようになると、それが宗教上の理由でタブー視されるイスラム教やユダヤ教の普及した地域では、何が起こるでしょうか？

僕は「発生生物学」の授業を受けていて、衝撃を受けたことがあります。それは、イギリスのバース大学の発生生物学者ジョナサン・スラック教授が、一九九七年に遺伝子を操作して頭のないオタマジャクシを作ったことです。

さらにスラックは、『サンデー・タイムズ』紙のインタビューに「人間も同じ遺伝子を持っている。その遺伝子を操作すれば、必要な臓器だけを持つ『頭のない胎児』を生産することができる」と答えています。

その後、テキサス大学や理化学研究所の遺伝子操作によって、頭のないマウスも作られています。先進国では、無脳症で生まれた新生児の臓器を移植すべきだという議論も巻き起こっています。二〇一八年一一月には、中国の研究者がヒトゲノムを編集した受精卵から双子を誕生させました。

ここからは僕の想像ですが、たとえば、宗教上の理由からブタの臓器を使えない中東の富豪がいるとします。もし彼が将来の病気に備えて自分の臓器を準備したければ、自分の細胞からクローン受精卵を作り、その遺伝子を操作して頭のない臓器だけを持った新生児を代理出産させるかもしれません。その胎児を無菌室で生命維持装置に繋いで育成しておけば、いつでも彼自身の遺伝子を持った臓器を得ることができます。

要するに、遺伝子操作による「異種臓器移植」が許容されるようになれば、話はそこで終わらないということです。とくに、宗教上であろうと、他の理由であろうと、ブタを使いたくない人々は、他の方法を模索するようになるに違いありません。その結果、遺伝子操作やクローン技術に歯止めが利かなくなるのではないかというのが、僕が最も危惧（きぐ）するポイントです。

## 第5章1　一緒に考えてみよう

1　読者は、医学部Eの発表と教授の補足を基盤として、文学部A・法学部B・経済学部C・理学部Dの中では、誰の見解に最も賛同しますか？

2　それはなぜですか？　読者は、どのような価値観に最も共感したのでしょうか？

3　読者は、ブタの心臓をヒトに移植してよいと考えますか？

## 2　どこまでヒトをロボット化してよいのか？

**教授**　「ブタの心臓をヒトに移植してよいのか？」という問題に対する皆の見解を聞いて、発表者のE君は、どう思いましたか？

**医学部E**　二〇二二年三月九日、アメリカのメリーランド大学は、この手術を受けたディビッド・ベネットが死亡したと発表しました。結果的に彼は、ブタの心臓で二カ月寿命を延ばしたことになります。

この結果を知って思い出したのは、A子さんの言っていた「人間には定められた寿命がある」という考え方です。改めて、どこまでヒトの寿命を延ばせるのか、また、どこまで延ばすべきなのか、考えさせられました。

僕は医学を志しているわけですが、その基本方針は、目の前の患者の命を長引かせる

「延命」、患者の苦痛を和らげる「緩和」、そして病気に罹患していない個人や集団をさまざまな疾病から防御する「予防」にあると、日頃から教えられています。

そして、そもそもヒトの寿命は、およそ一二〇歳を超えられないという限界のあることがわかっています。この点について、詳しく調べてみました。

一九六一年、カリフォルニア大学サンフランシスコ校医学部の微生物学者レオナード・ヘイフリックは、次のような実験を行いました。まず、ヒトの皮膚の繊維芽細胞をシャーレで培養します。細胞は分裂して増加するので、その一部を別のシャーレに移し、再び増加した細胞を別のシャーレに移します。このように細胞を分割して「代」を継ぎながら培養し続ける方法を「継代培養」と呼びます。

ヒト細胞の「継代培養」は順調に続き、一二〇日を過ぎても繊維芽細胞は新たなシャーレで増え続けました。ところが、培養日数が一三〇日になり、四〇回を超えた分割の頃から、細い繊維芽細胞が徐々に扁平に広がり始め、分裂のスピードが衰えてきました。

四五回まではシャーレの細胞数はほぼ一定でしたが、それ以降は目に見えて分裂する細胞が減少し始めました。実験開始から二七〇日が過ぎた六三回目のシャーレでは、ついにすべての細胞分裂が完全に止まってしまいました。

つまり、ヒトの繊維芽細胞は、永遠に分裂を繰り返すのではなく、その回数に限界が存在することがわかりました。この現象は、今では「ヘイフリック限界」と呼ばれています。ヘイフリックは、最後のシャーレに残った「老化細胞」を「WI－38細胞」と名付け、少しでも早くこの現象を解明できるようにと、この細胞を世界中の研究者に提供しました。このヘイフリックの行為は、すばらしい「科学者精神」を示していると思います。

その後、世界中の研究者が、なぜ「ヘイフリック限界」があるのかを追究してきましたが、その結果がわかるまでには、三〇年近くかかりました。一九九〇年、ついにこの現象を解明したのが、コールド・スプリング・ハーバー研究所の分子生物学者キャロル・グレイダーのチームです。このチームは、細胞分裂の限界が「テロメア短縮」によって引き起こされることを発見しました。この功績によって、グレイダーらは二〇〇九年にノーベル医学・生理学賞を受賞しています。

「テロメア」とは、染色体の末端にある塩基対の「反復配列」（TTAGGG）のことで、最初は一万塩基対以上あるものが、細胞分裂の度に短くなっていき、二〇〇〇塩基対にまで短くなると、細胞がそれ以上は分裂できない「分裂限界」に達します。

「テロメラーゼ」という特別な酵素を使うと「テロメア」の長さを伸ばして再び分裂させられるのですが、その場合、細胞が「ガン化」してしまいます。つまり、健康な細胞の分裂には、どうしても超えられない限界があるわけです。

一般に、生物種の寿命は、「身体の大きさ」や「成熟までの時間」や「脳の大きさ」といった要因を左右する「寿命遺伝子」で定まります。個別のヒトの寿命は「遺伝三割・環境七割」で決まるといわれていますが、ヒトの「最長年齢」は「寿命遺伝子」の設計図に記されているわけです。そこから導かれるヒトの寿命の限界が、およそ一二〇歳なのです。

そこから先の話は、もはや通常の医学を超えているのではないかというのが、僕の正直な感想です。心臓や肺、肝臓や腎臓のような主要臓器を「異種臓器」に置き換えること、さらに未来社会では「人工臓器」に置き換えていくことも医学なのでしょうか? 極端に言えば、未来社会の人間は、脳細胞以外を機械化し、ロボット化して生きていくようになるかもしれません。

そこで僕が考え始めているのが、「どこまでヒトをロボット化してよいのか?」という問題です。

**教授**　君が新たに提起した「どこまでヒトをロボット化してよいのか？」という問題は、たしかに医学の範疇（はんちゅう）に留まらず、生命倫理学一般に関わっている。もっと言えば、実はその問題は、そもそもヒトの「生」や「死」が何なのかという哲学的問題にまで繋がっている。

以前のセミナーでE君が発表してくれたように、発明家のレイ・カーツワイルは、「二一世紀には二万年分の進歩が生じる」と予測している。さらに、彼が二〇四五年には「シンギュラリティ」に到達し、一〇〇〇ドル程度のコンピュータが、全人類一〇〇億人の計算能力に匹敵する能力を持つようになると予測していることについても話したね。

実は、カーツワイルは、二〇四五年になれば、人間の脳細胞の情報さえも機械にアップロードできるようになると述べている。つまり、ヒトの記憶や思考、すなわち「意識」そのものを、コンピュータに「マインド・アップロード」できるようになると考えているわけだ。

今後、ヒトの皮膚や臓器を機械化して、身体をロボット化する可能性は十分考えられるだろう。首から下がすべて機械といえば、映画『スター・ウォーズ』のダース・ベイダーや映画『ロボコップ』のアレックス・マーフィを思い起こすことができるが、これらの映画でも、さすがに「脳」そのものは取り換えていない。

ところが、E君が説明してくれたように、実は脳細胞も、一二〇年も経てば、ヘイフリック限界に達して、使い物にならなくなってしまうわけだ。そのため、未来社会では、ヒトが身体を捨てて、脳細胞を機械に「マインド・アップロード」する時代が来るのではないかというのが、カーツワイルの考え方だ。

アップロードされた「マインド」をネットに接続すれば、ネットの世界の中で生きていくことになる。もはやヒトは、個別の身体という概念を超えて、世界の現実を「バーチャル・リアリティ」で体験できる。これは、映画で言えば『マトリックス』の未来像だね。

シンギュラリティ研究の第一人者である神戸大学名誉教授の物理学者・松田卓也氏は、このような未来像に基づくライフスタイルを「明るい寝たきり生活」と呼んでいる。

**文学部A**　仮に二〇四五年に本当にシンギュラリティが到来して、機械の機能が飛躍的に増大して、私の脳の状態をそのまま小さなパソコンに「マインド・アップデート」できるようになるとします。

そのパソコンには、私の過去の記憶や思考や性格など、私の「心」に関するあらゆるデータが入っていて、つまり、そのパソコンが私の「意識」を持つわけですよね？

その「A子パソコン」の「意識」をネットに繋げば、ネットの中で「私」が世界中どこにでも好きなように一瞬で飛んで行って、「バーチャル・リアリティ」を体験できるというお話でした。ネットの中の私は、ハワイの海で泳いだり、エベレストに登頂したり、宇宙空間に浮かぶこともできる……。

同時に、私の「意識」はネットと融合して、ネット上のあらゆるニュースを瞬時に知ることができるし、どんな画像や動画や情報にも、自由自在にアクセスできるというイメージだと思います。

そこまでは理解できたのですが、一方、生きている人間としての私は、そのまま普通に生きているわけですから、そこで人間の「A子」と機械の「A子パソコン」の二人が存在することになります。つまり、この世界にA子が二人いることになりますよね？

もし「私」が複数のパソコンに「マインド・アップデート」して「A子パソコン」が何台もできたら、各々が「私」ということになります。そこで大きな問題になるのは、「たった一人の私」というアイデンティティが崩壊してしまうのではないでしょうか？

単細胞生物のように細胞分裂によって増殖していく生命には、そもそも固有の「死」は存在しません。たとえば大腸菌は、自分自身が二つに分裂して、それがまた二つに分裂して増えていきますから、クローンのように同じDNAの大腸菌が延々と続いていくことになります。

ですから、いくら個別の大腸菌が死んでも、それとまったく同一の大腸菌が生き続けているわけですから、通常の意味で想定されるような「死」の概念は当てはまらないでしょう。

もし「私」の意識を何台もの機械に「マインド・アップロード」できるようになれば、「私」とまったく同じ「私」のクローンをいくらでもコピーできますから、「私」が死ぬことに意味がなくなります。

私は、松田教授の「明るい寝たきり生活」という言葉を聞いて、非常に不気味な感覚を覚えたのですが、その原因はそこにあると思います。「A子」という私は、たった一つの身体で成長しながら、これまでいろいろな経験をしてきて、その結果が今のユニークな「私」であるわけです。

**法学部B**　A子さんの気持ちはよくわかります。よく自分の「心」が他人の「心」と入れ替わって、お互いの身体に乗り移るような小説や漫画がありますよね。僕は、最初からあまりにもバカげた設定だと思って、そのタイプの作品は読む気がしません。

というのは、僕は「心」と「身体」は、根本的に切り離せないものだと思っているからです。たとえば、僕の右足の太腿（ふともも）には大きい傷跡がありますが、これは高校時代、サッカーの県大会決勝で相手校のフォワードと交錯した際、サッカーシューズのスパイクで抉（えぐ）られた傷です。試合の後、そのフォワードが入院した僕を見舞いに来てくれて、今では彼と親友になっています。

逆に言えば、右足の太腿に大きい傷跡があるのが「僕」であって、その痛い体験のおかげで新たな友人と「心」の交流が生まれたわけですから、それらを切り離して考えることはできません。

一方、この世界には、交通事故などやむを得ない事情で、足を切断しなければならなくなった人もいます。そこで調べてみて驚いたのですが、現在の「義足」は、最低限の歩行や生活を保証する数十万円の製品から、マイクロコンピュータ制御の数百万円の製品、さらに健常者以上の能力を発揮する一千万円を超える製品まで揃っているのです。

義足でとくに重要になるのが「膝」の動きですが、高価な製品は、膝内部の空圧シリンダーをマイクロコンピュータで制御するため、歩行速度に合わせて膝の屈伸速度を自動変速し、自然に歩行できます。

安価な義足では、歩行中に膝がガクッと曲がってしまうことがあるようですが、高価な製品では、曲がった部分が自動制御されているため、仮に転びかけても、体勢を容易に元に戻せます。それに、階段を自然に左右交互の足で下りることもできます。さらに高価な製品では、通常以上に速く走ることもできるようになります。

これは「義手」でも同じことです。もし高性能の義手を使えば、人間離れした速度で細かい作業を正確にこなしたり、コンピュータにリンクして綺麗な字を書いたり絵画を描いたり、人間の素手で触ると危険な物を平気で摑んだりできるようになります。普通の人間ならば一時間かかる細かい手作業を、高度な義手を付けた人間は一〇分で、しかも正確に終わらせることができるかもしれません。

つまり、僕が危惧するのは、人間の機械化が進むにつれて、そこに新たな差別が生まれるということです。高価な製品で高度に機械化された人は、そうでない人に比べて、遥かに効率的に仕事をこなすことができるでしょう。そこで生まれる格差は甚大で、未来社会では、機械化されていない普通の人間ができる仕事は、減少していくかもしれません。

**経済学部C**　私は、今のB君の話を聞いて、「他にパラリンピック出場の方法がないのなら、足を切断します。大きな決断ですけど、僕にとって車いすバスケットボールのほうがずっと大事なんです」と宣言した一七歳の少年の話を思い出しました。

「車いすバスケットボール」選手のオスカー・ナイト君は、「複合性局所疼痛症候群（CRPS：Complex Regional Pain Syndrome）」という難病に罹っています。何らかのケガなどをきっかけに、原因不明の強い痛みが続く病気なのですが、オスカー君の場合は、足に強い痛みがあり、歩くことができないので、普段から車いすを使用しています。足の筋力が低下したため、彼の両足は一般的な少年に比べてかなり細くなっています。

二〇二〇年一月、「国際パラリンピック委員会（IPC：International Paralympic Committee）」が「国際車いすバスケットボール連盟」に対して「障害の基準を満たさない選手」が含まれる可能性があるため、競技を東京大会から除外する可能性があると発表しました。

そもそも「車いすバスケットボール」は、障害の程度にかかわらず選手がプレーできるように、障害の種類や程度を最も重度の一・〇から四・五まで八段階に分け、コートでプレーする五選手のポイントの合計が常に一四点以内でなければならないという独自のルールを定めています。

しかし、IPCは「競技の公平性」を理由に、障害の基準を、「1、筋力低下　2、他動関節可動域障害　3、四肢欠損　4、脚長差　5、低身長　6、筋緊張亢進　7、運動失調　8、アテトーゼ　9、視覚障害　10、知的障害」の一〇種類に限定しています。

オスカー君のCRPSは、この一〇種類の障害基準に含まれていません。そこで彼は、足を切断して「四肢欠損」でパラリンピック出場資格を得ようと考えたわけです。

私は、「ブタの心臓をヒトに移植してよいのか?」という質問に対して、完全に個人の自由だと答えました。ブタの心臓を移植してでも生きたいという人もいるだろうし、そこまでして生きたくないという人もいるでしょう。

それと同じように、どこまで自分の身体を変えるか、機械化するかも、完全に個人の自由だと思います。オスカー君のように「車いすバスケットボール」が痛む足よりも大事な人にとっては、切断という決断も尊重されるべきではないでしょうか?

**理学部D**　少し違う視点から考えてみたいと思います。僕は、先生の「自己分析論」の授業で、古代ギリシャ時代のデモクリトスの思想に感銘を受けました。

デモクリトスは、ソクラテスとほぼ同時代の紀元前四六〇年頃に生まれたにもかかわらず、当時の神話や常識にいっさい頼らず、さまざまな物質の性質を純粋に自然現象として研究した人物です。しかも彼は、自然現象は「神」の力などではなく、「自然法則」に従っていると考えていました。

太陽や月、雲や海、動物や植物など、さまざまな自然現象を観察していくうちに、デモクリトスは、すべての物質が「原子」と「空虚」の組み合わせで構成されていると考えるようになります。そこから彼は、宇宙の「空虚」に無数の「原子」があれば、それらの「原子」が渦を作りながら一カ所に集まり、衝突して幾つかの塊を作りながら回転を始めるに違いないと推察しました。

驚くべきことに、この発想は、まさに太陽系で惑星が形成されて公転を始める現象の解説にもなっています。デモクリトスは、今から二五〇〇年近く前に、そんなことまで考えていた天才だったのです。

デモクリトスの「原子論」を信奉し、そこから「いかに生きるべきか」を考えたのが、デモクリトスよりも少し年下のエピクロスでした。

エピクロスによれば、人間は「原子」からできているため、人間が死ねば、その身体を構成していた「原子」も自然に還元されます。したがって、ソクラテスのいう「魂」のようなものは存在するはずがありません。そこで彼は、ありもしない夢想の「魂」の話を人々に説いて、市民裁判官に憎まれ口を叩き、挙句の果てに死刑に処せられたソクラテスのことを「バカ」だと断言しています。

さらに、「万物は原子からできている」以上、「天国」のように原子に還元できない世界も存在しません。したがって、人生の目的は、ソクラテスやプラトンが言うように「徳」をもって善く生きて「天国」に行くようなことではないことになります。

エピクロスにとって重要なのは、今生きている現実世界で達成すべきことであって、エピクロスは、人生の目的は「幸福」でなければならないと考えました。それでは、どうすれば「幸福」になれるか？

エピクロスは「快楽」によってこそ人間は「幸福」になれると考えました。そこから彼の立場は「快楽主義」と呼ばれるようになったわけです。

エピクロスは、人間の欲求を三種類に分けて考えました。健康と安定した衣食住のような「自然で必要な欲求」、大邸宅や贅沢品で飾り立てるような「自然だが不必要な欲求」、世俗的な成功や名声のような「自然でも必要でもない欲求」……。

人間が「幸福」になるためには、何よりも苦痛や恐怖のような「不快」から逃れなければなりません。そう考えてみると、「自然だが不必要な欲求」と「自然でも必要でもない欲求」を満たそうとすると、必ず「不快」が付いてくることがわかります。たとえば、贅沢のために金儲けをしようとしたり、名声を得るために成功しようとしたりすると、必ず嫌な思いもしなければならないでしょう。

そこでエピクロスは、人間が「幸福」になるためには、「自然だが不必要な欲求」と「自然でも必要でもない欲求」をすべて捨て去り、「自然で必要な欲求」だけを追求しなければならないと主張したわけです。

その結果、人間は、あらゆる苦悩から解放されるはずです。エピクロスは、人間にとっての最高の「幸福」は、「平静な心」を実現することだと考えました。これを古代ギリシャ語では「アタラクシア」と呼びますが、この言葉には「無感覚」という意味もあります。要するに、何も感じない澄み切った水のような心境のことです。

さらに、エピクロスは、「死を恐れる必要はない」と述べています。それは「魂」が永遠だからと考えたソクラテスやプラトンとは正反対の理由で、エピクロスによれば、死の瞬間に人間は「感覚」を失って「原子」に戻るのだから、恐怖を感じることはないというわけです。むしろ、その瞬間にこそ、人間は「平静な心」を得られるということになります。

さて、僕は、遺伝子操作や異種移植や身体の機械化によって無理に寿命を延長させる行為は、エピクロスの言う「自然だが不必要な欲求」ではないかと思います。たしかにC子さんの言うように、やりたい人がやればよいのかもしれませんが、僕はそれよりも「アタラクシア」に到達することのほうが人間にとっては重要だと考えますね。

**教授**　「ブタの心臓をヒトに移植してよいのか？」という問題から「どこまでヒトをロボット化してよいのか？」という「人とは何か？」の哲学的議論が抽出されました。非常に難しい問題ですが、この哲学ディベートを契機として、改めて君たち自身で考えてみてください。

## 第5章2　一緒に考えてみよう

1　読者は、医学部Eの発表と教授の補足を基盤として、文学部A・法学部B・経済学部C・理学部Dの中では、誰の見解に最も賛同しますか？

2　それはなぜですか？　読者は、どのような価値観に最も共感したのでしょうか？

3　読者は、どこまでヒトをロボット化してよいと考えますか？

# おわりに

本書は、二〇二一年六月から二〇二二年三月にかけて、ＮＨＫ出版のＷＥＢマガジン「本がひらく」に連載した「哲学ディベート──人生の論点」（全一〇回）に加筆修正を施してまとめたものである。

本書に登場する「文学部Ａ・法学部Ｂ・経済学部Ｃ・理学部Ｄ・医学部Ｅ」の大学生五人組は、二〇〇七年に上梓（じょうし）した『哲学ディベート』（ＮＨＫブックス）で創作したキャラクターである。二〇二〇年には、同じ大学生五人組を主人公とする『自己分析論』（光文社新書）も上梓したので、本書と一緒にお楽しみいただけたら幸いである。

連載中、ネットで記事を読んだ現役ＣＡの卒業生から「経済学部Ｃさんに直接アドバイスしたいので、連絡先を教えてください」というメールをもらった。大変嬉しい申し出だが、経済学部Cは架空の人物なので……と丁重に返信した。
とはいえ、その卒業生は現実感を抱いて議論に参加してくれた証拠で、著者としては誠に嬉しい限りである。他にも「文学部Aに反論したい」「法学部Bの発想に疑問を感じる」「理学部Dの意見に賛同する」「医学部Eの発想に飛躍があるのではないか」などと、さまざまなコメントが書き込まれ、ネットではコメント欄でもディベートが始まっていて、おもしろい。

本書で論じたトピックスは、あくまで「哲学ディベート」の出発点にすぎない。各セクションの巻末に「一緒に考えてみよう」という課題を挙げておいたので、読者には、その先の展開を読者の周囲の家族や恋人や友人と一緒に話し合っていただけたら幸いである。あるいは、私が実際に行っているように、自分の脳内に「文学部A・法学部B・経済学部C・理学部D・医学部E」の大学生五人を浮かび上がらせて、それぞれの立場から意見を闘わせてみるのも楽しいかもしれない。

「はじめに」でも触れたが、議論に勝つことが目的の「競技ディベート」に対して、「哲学ディベート」の目的は、新たな発想の発見にある。強いて「哲学ディベート」でポイントを付けるとしたら、現実的問題の背景にある哲学的問題を探り、「そういう考え方は思い付かなかった」とか「そんな発想は想定外だった」などという新たな見解が出てくれば、大きな加点にしたいものである。

私が実際に大学で行っている「哲学ディベート」の授業では、いかなる意見であろうと、どんな見解であろうと、そこから「新たな発想」を導き出すことを重視して議論を進めている。「哲学ディベート」を行うと、「批判」から始める競技ディベートよりも遥かに建設的で、お互いに非常に楽しい作業であることに気付くだろう！

さて、本書から出発して、もっとディベートを行ってみたいとお考えの読者のために、参考資料を添付しておいた。「競技ディベート」の代表的な二つの団体が、過去に実施してきた「論題」のリストである。

参考資料①は「日本ディベート協会(ＪＤＡ：Japan Debate Association)」の「過去論題」である。日本ディベート協会は、「日本におけるディベート活動の推進・普及を目的」として一九八六年に発足し、二〇二〇年にＮＰＯ法人認定を受けている。春・秋等の日本語ディベート大会の他、アメリカのコミュニケーション学会(ＮＣＡ：National Communication

Association）と協賛で英語ディベート大会も開催している。

参考資料②は「全国教室ディベート連盟（NADE：National Association of Debate in Education）」の「過去論題」である。全国教室ディベート連盟は、「ディベートの発想と技術を学校教育に普及させることをもって、健全な市民社会を構築することを目的」として一九九六年に発足し、二〇〇四年にNPO法人認定を受けている。教室ディベートの教材・指導法の開発や全国各地でのディベート講習会、「ディベート甲子園（全国中学・高校ディベート選手権）」の開催などでも知られる。

これらの「過去論題」に対して、「競技ディベート」とは別の角度の「哲学ディベート」からアプローチすれば、きっと新たな発見や驚きがあるに違いない。読者の参考になれば幸いである。

本書の編集については、WEB連載に引き続き、NHK出版放送・学芸図書編集部の山北健司氏が担当してくださった。それに『哲学ディベート』初版発行以来、同社の大場旦氏には大変お世話になっている。お二人に厚くお礼を申し上げたい。

國學院大學の同僚諸兄、ゼミの学生諸君、情報文化研究会のメンバー諸氏には、さまざまな視点からヒントや激励をいただいた。それに、家族と友人のサポートがなければ、本書は完成しなかった。助けてくださった皆様に、心からお礼を申し上げたい。

二〇二二年二月二三日

高橋昌一郎

*ここでいう緩和とは「人員整理の必要性」および「解雇回避努力義務の履行」を整理解雇の要件から除外することとする。

第23回 「日本は国会を一院制にすべきである。是か非か」

*参議院を廃止するものとする。

第24回 「日本はフェイクニュースを規制すべきである。是か非か」

*ここでいうフェイクニュースとは、虚偽の事実について、虚偽であることを分からない形で不特定多数をあざむく意図をもって作成された情報をいう。

*以下の三つを禁止する。

1. フェイクニュースを発信すること。
2. フェイクニュースと知りながらそれを拡散すること。
3. 発信者または管理者がフェイクニュースを訂正または削除せず放置すること。

＊ここでいう小売店とは、商品を消費者に売る有人の店舗とし、飲食店を含む。ただし、ガソリンスタンドは除く。

＊ここでいう深夜営業とは午後10時から午前5時までの販売、配送とする。

第23回「日本はすべての飲食店に対して、店内での全面禁煙を義務付けるべきである。是か非か」

＊電子たばこ、加熱式たばこの使用も禁止する。

第24回「日本はタクシーに関する規制を大幅に緩和すべきである。是か非か」

＊ここでいうタクシーとはタクシー、ハイヤーを指す。

＊タクシー事業者に対する参入、需給調整、事業の休廃止、運賃に関する規制を撤廃する。

＊タクシー事業者以外が自家用車等による有償旅客運送を行うことを認め、運転するものは普通第二種免許を受けずともよいものとする。

## 高校の部

第1回　「日本は首相公選制を導入すべし。是か非か」

第2回　「日本は首都機能を移転すべし。是か非か」

*「首都機能の移転」とは、東京以外の一か所に首都機能を移転することであり、分都、展都は含まない。肯定側はプランの中で移転先の場所を示すこと。

第3回　「日本は積極的安楽死を法的に認めるべきである。是か非か」

*「積極的安楽死」とは、薬物投与などの積極的行為による安楽死であり単なる延命治療の中止を含まないものとする。

第4回　「日本は刑事裁判に陪審制を導入すべきである。是か非か」

*「陪審制」とは被告人の有罪・無罪を陪審員が評決によって決める制度のことである。

第5回　「日本はすべての原子力発電を代替発電に切り替えるべきである。是か非か」

*切り替えは2020年までに行うこととする。

第6回　「日本は道州制を導入すべきである。是か非か」

*現行の都道府県制を廃止して全国に7～11程度の道・州を置き、外交・防衛・通貨以外の権限を基本的にすべて国から道・州へ移すものとする。

*地方間の財政的格差を調整するために国が必要な課税措置をとることを妨げない。

第7回　「日本は遺伝子組み換え食品の販売を禁止すべきである。是か非か」

第8回　「日本は積極的安楽死を法的に認めるべきである。是か非か」
　＊積極的安楽死とは、延命治療の中止以外の手段により、意図的に患者の死期を早める行為とする。
第9回　「日本はすべての原子力発電を代替発電に切り替えるべきである。是か非か」
　＊切り替えは2020年までに行うこととする。
第10回「日本は炭素税を導入すべきである。是か非か」
　＊炭素税とは化石燃料の輸入及び製造にかける税とする。
　＊税額は炭素1トンあたり一定額とする。
　＊すべての業種を対象とし、例外は認めない。
第11回「日本は道州制を導入すべきである。是か非か」
　＊現行の都道府県制を廃止して全国に7～11程度の道・州をおき、外交・防衛・通貨以外の権限を基本的にすべて国から道・州に移すものとする。
　＊地方間の財政的格差を調整するために、国が必要な課税処置をとることを妨げない。
第12回「日本は18歳以上の国民に選挙権・被選挙権を認めるべきである。是か非か」
　＊公職選挙法で定めるすべての選挙を対象とする。
第13回「日本は労働者派遣を禁止すべきである。是か非か」
　＊労働者派遣の定義は現行の労働者派遣に従う。
第14回「日本は国会を一院制にすべきである。是か非か」
　＊参議院を廃止するものとする。
第15回「日本は積極的安楽死を法的に認めるべきである。是か非か」
　＊積極的安楽死とは、延命治療の中止以外の手段により、意図的に患者の死期を早める行為とする。
第16回「日本は道州制を導入すべきである。是か非か」

＊現行の都道府県制を廃止して全国に7～11程度の道・州をおき、外交・防衛・通貨以外の権限を基本的にすべて国から道・州に移すものとする。

＊地方間の財政的格差を調整するために、国が必要な課税処置をとることを妨げない。

第17回 「日本は死刑制度を廃止すべきである。是か非か」

＊他の刑罰については変更を加えないものとする。

第18回 「日本は首相公選制を導入すべきである。是か非か」

＊ここでいう「首相公選制」とは、「首相公選制を考える懇談会」報告書(平成14年8月7日)の「Ⅰ 国民が首相指名選挙を直接行う案」とする。

第19回 「日本は外国人労働者の受け入れを拡大すべきである。是か非か」

＊日本国内に事業所を置く機関との雇用契約の締結のみを条件とした日本国内での労働を認める在留資格を新設する。

＊雇用契約の締結先機関及び国籍による受け入れ者の制限、受け入れ人数の制限を行わない。

第20回 「日本は裁判員制度を廃止すべきである。是か非か」

＊裁判員法が定める規定をすべて廃止し、職業裁判官のみによる裁判制度に戻すものとする。

第21回 「日本は国民投票制度を導入すべきである。是か非か」

＊ここでいう国民投票制度とは、18歳以上の有権者の署名により、法律の制定、改正、廃止について請求する制度とする。

＊投票の結果は拘束力を持つものとする。

第22回 「日本は企業に対する正社員の解雇規制を緩和すべきである。是か非か」

NHK出版新書好評既刊

**百歳　いつまでも書いていたい**
小説家・瀬戸内寂聴の生きかた
瀬戸内寂聴
楽しい法話で多くの日本人から愛された寂聴さん。ラジオに遺された「小説家」としての言葉に、人が快活に生きるためのヒントがちりばめられている。
672

**史伝 北条政子**
鎌倉幕府を導いた尼将軍
山本みなみ
鎌倉殿の妻、母、そして尼将軍へ。頼朝亡き後、政子はいかにして幕府を守ったのか？ 中世史の新鋭が新史料を駆使して迫る、史上随一の女傑の全貌。
673

**教養としての「数学Ⅰ・A」**
論理的思考力を最短で手に入れる
永野裕之
二次関数や統計など高校数学の初歩に親しむことで、社会人に必須の「数学リテラシー」を身につける。数学学びなおしのプロがわかりやすく解説。
674

**壁とともに生きる**
わたしと「安部公房」
ヤマザキマリ
人間社会のジレンマを昆虫観察するかのように描いた戦後作家、安部公房。その恐るべき俯瞰力と先見性を、気鋭のマンガ家が生き生きと語る。
675

**実践・哲学ディベート**
〈人生の選択〉を見極める
高橋昌一郎
反出生主義に英語教育、ルッキズムからAI倫理、意思決定論まで。「教授」と「学生たち」のディベート形式で哲学的思考を鍛える画期的入門書！
676

# NHK出版新書好評既刊

# NHK出版新書好評既刊

## アドラー 性格を変える心理学
岸見一郎

世の中には「性格は生まれつき」と考えて、あきらめてしまう人が少なくない。『嫌われる勇気』の著者が、アドラー心理学を軸に、性格の常識を覆す。

648

## 「超」英語独学法
野口悠紀雄

リスニング練習から暗記術、AI活用法まで。専門家同士のやりとりや英文読解、会議での討論、メール作成などに役立つ超合理的勉強法！

649

## おとなの教養3 私たちは、どんな未来を生きるのか？
池上彰

気候変動、データ経済とDX、ポスト資本主義など。喫緊の6テーマを歴史や科学、経済学の教養にもとづき講義形式で解説するシリーズ第3弾！

650

## 異形のものたち 絵画のなかの「怪」を読む
中野京子

人獣、妖精、悪魔と天使、異様な建造物から魑魅魍魎まで。「異形」の名画が描かれ支持されてきたのはなぜか。語られざる歴史と人間心理を読む。

651

## 新世紀のコミュニズムへ 資本主義の内からの脱出
大澤真幸

資本主義を超える。それは、いかにして可能なのか？ 持続可能な未来に向けた真の課題とは何か？ パンデミック後の思想的課題に鋭く迫る！

652

## 「現金給付」の経済学 反緊縮で日本はよみがえる
井上智洋

現金をばらまき、インフレ好況をつくり出せ！日本経済の停滞を打ち破る、金融緩和でも構造改革でもない「ラディカルな解決策」を提唱する一冊。

653

NHK出版新書好評既刊

## NHK出版新書好評既刊

### 「冴える脳」をつくる5つのステップ
ゆっくり急ぐ生き方の実践

築山 節

日々の不調に加え、コロナ禍で脅かされる生活や健康。現代人が抱える不安に適切に対処できる「脳」のつくり方を、ベストセラーの著者が解説。

636

### 家族のトリセツ

黒川伊保子

親子関係から兄弟、夫婦関係まで。イライラやすれ違いの具体例を挙げながら、「脳の個性」を理解し、「最も身近な他人」とうまく付き合う方法を伝授！

637

### 独裁の世界史

本村凌二

なぜプラトンは「独裁」を理想の政治形態と考えたのか？ 古代ローマ史の泰斗が2500年規模の世界史を大胆に整理し、「独裁」を切り口に語りなおす。

638

### はやぶさ2 最強ミッションの真実

津田雄一

世界を驚かせる「小惑星サンプル持ち帰り」を完璧に成功させたプロジェクトの中心人物が描く、スリルと臨場感にあふれた唯一無二のドキュメント！

639

### 愛と性と存在のはなし

赤坂真理

私たちは自分の「性」を本当に知っているか？ 既存の用語ではすくい切れない人間存在の姿を、作家自身の生の探求を通して描き出す、魂の思索。

640

### 渋沢栄一「論語と算盤」の思想入門

守屋 淳

答えのない時代を生きた渋沢の行動原理とはなんだったのか。その生涯と思想を明快に読み解き、偉業の背景に迫る。渋沢栄一入門の決定版！

641

高橋 昌一郎 たかはし・しょういちろう
1959年生まれ。
ミシガン大学大学院哲学研究科修了。
國學院大學教授。専門は論理学、科学哲学。
著書に『理性の限界』『知性の限界』『感性の限界』
『フォン・ノイマンの哲学』『ゲーデルの哲学』『20世紀論争史』
『自己分析論』『反オカルト論』『愛の論理学』『東大生の論理』
『小林秀雄の哲学』『哲学ディベート』
『ノイマン・ゲーデル・チューリング』『科学哲学のすすめ』など、多数。

NHK出版新書 676

実践・哲学ディベート
〈人生の選択〉を見極める

2022年5月10日 第1刷発行

著者 高橋 昌一郎 
発行者 土井成紀
発行所 NHK出版
〒150-8081 東京都渋谷区宇田川町41-1
電話 (0570) 009-321(問い合わせ) (0570) 000-321(注文)
https://www.nhk-book.co.jp (ホームページ)
振替 00110-1-49701

ブックデザイン albireo
印刷 新藤慶昌堂・近代美術
製本 藤田製本

 ISBN978-4-14-088676-2 C0210

# 参考文献


## 第1章

[1] 大江健三郎『個人的な体験』新潮文庫、1981年.

[2] Arthur Schopenhauer, *Die Welt als Wille und Vorstellung*, 1819.［アルトゥル・ショーペンハウアー（西尾幹二訳）『意志と表象としての世界』(全3巻)中公クラシックス、2004年.］

[3] 高橋昌一郎『愛の論理学』角川新書、2018年.

[4] 高橋昌一郎『知性の限界』講談社現代新書、2010年.

[5] 高橋昌一郎『哲学ディベート』NHKブックス、2007年.

[6] クリフム出生前診断クリニック https://fetal-medicine-pooh.jp/

[7] 夫律子『最新3D／4D胎児超音波画像診断』メディカ出版、2004年.

[8] David Benatar, *Better Never to Have Been*, Oxford University Press, 2006.［デイヴィッド・ベネター（小島和男・田村宜義訳）『生まれてこないほうが良かった』すずさわ書店、2017年.］

[9] デイヴィッド・ベネター(他)『現代思想：特集＝反出生主義を考える』2019年11月号.

[10] 室月淳『出生前診断の現場から』集英社新書、2020年.

## 第2章

[1] アメリカ教育使節団(村井実訳)『アメリカ教育使節団報告書』講談社学術文庫、1979年.

[2] W³Techs—Web Technology Surveys, "Historical trends in the usage statistics of content languages for websites," https://w3techs.com/technologies/history_overview/content_language

[3] Ethnologue, "Languages of the World," https://www.ethnologue.com/

[4] JNEWS「フィリピン看護師は、なぜ日本を見捨てて中東へ向かうのか？」https://www.jnews.com/special/health/hea1101.html

[5] 志賀直哉(高橋英夫編)『志賀直哉随筆集』岩波文庫、1995年.

[6] 鈴木義里・中公新書ラクレ編集部編『論争・英語が公用語になる日』中公新書ラクレ、2002年.
[7] 高橋昌一郎『愛の論理学』角川新書、2018年.
[8] 高橋昌一郎『哲学ディベート』NHKブックス、2007年.
[9] 寺沢拓敬『小学校英語のジレンマ』岩波新書、2020年.
[10] 鳥飼玖美子『英語教育の危機』ちくま新書、2018年.
[11]「21世紀日本の構想」懇談会「日本のフロンティアは日本の中にある」https://www.kantei.go.jp/jp/21century/houkokusyo/index1.html
[12] British Council, "British Council survey of policy and practice in primary English language teaching worldwide," https://www.teachingenglish.org.uk/article/british-council-survey-policy-practice-primary-english-language-teaching-worldwide
[13]文部科学省「グローバル化に対応した英語教育改革実施計画」https://www.mext.go.jp/a_menu/kokusai/gaikokugo/1343704.htm
[14] 湯川秀樹『旅人』角川ソフィア文庫、2011年.
[15] World Economic Forum, "These are the most powerful languages in the world," https://www.weforum.org/agenda/2016/12/these-are-the-most-powerful-languages-in-the-world/

**第3章**

[1] ISAPS, "International Survey on Aesthetic/Cosmetic Procedures performed in 2019" https://www.isaps.org/wp-content/uploads/2020/12/Global-Survey-2019.pdf
[2] 新井誠「タトゥー施術に関する医師法違反事件最高裁決定」WLJ判例コラム 第214号 https://www.westlawjapan.com/pdf/column_law/20201009.pdf
[3] 大阪高等裁判所「平成29年(う)第1117号 医師法違反被告事件 平成30年11月14日 大阪高等裁判所第5刑事部判決」https://www.courts.go.jp/app/files/hanrei_jp/686/088686_hanrei.pdf

[4] Susan Schweik and Robert A.Wilson, "Ugly Laws" https://www.researchgate.net/publication/306365394_Ugly_Laws
[5] 高橋昌一郎『愛の論理学』角川新書、2018年.
[6] 高橋昌一郎『感性の限界』講談社現代新書、2012年.
[7] 高橋昌一郎『哲学ディベート』NHKブックス、2007年.
[8] 田中東子「娯楽と恥辱とルッキズム」『現代思想』第49巻第13号、2021年.
[9] 田中東子(他)『現代思想:特集=ルッキズムを考える』第49巻第13号、2021年.
[10] 丹生淳史「形成外科と整形外科、美容外科」公立学校共済組合関東中央病院 https://www.kanto-ctr-hsp.com/ill_story/201811_byouki.html
[11] 山口誠『客室乗務員の誕生』岩波新書、2020年.

### 第4章

[1] 朝岡崇史「茨城『河岸のまち』で自動運転路線バスに乗ってみた」JDIR https://jbpress.ismedia.jp/articles/-/64930
[2] Edmond Awad, Sohan Dsouza, Richard Kim, Jonathan Schulz, Joseph Henrich, Azim Shariff, Jean-François Bonnefon and Iyad Rahwan, "The Moral Machine Experiment," *Nature*: 563, 59-64, 2018.
[3] 茨城県境町「8カ月間の安定運行を経て、境町の自動運転バスの走行経路を従来の4倍の約20キロメートルに拡大」https://www.softbank.jp/drive/set/data/press/2021/shared/20210730_01.pdf
[4] Ray Kurzweil, *The Singularity Is Near,* Viking, 2005.[レイ・カーツワイル(井上健監訳/小野木明恵・野中香方子・福田実訳)『ポスト・ヒューマン誕生』NHK出版、2007年.]
[5] 小林香織「『自動運転バス』実用化から約1年、茨城県境町の変化は?」ITmediaビジネスオンライン https://www.itmedia.co.jp/business/articles/2111/03/news010.html
[6] 高橋昌一郎『20世紀論争史』光文社新書、2021年.

[7] Michael Taylor, "Mercedes Autonomous Cars Will Protect Occupants before Pedestrians" https://www.autoexpress.co.uk/mercedes/97345/mercedes-autonomous-cars-will-protect-occupants-before-pedestrians
[8] 日本自動車工業会「日本の自動車工業2020」https://www.jama.or.jp/industry/ebook/2020/PDF/MIoJ2020_j.pdf
[9] BBC, "Uber's self-driving operator charged over fatal crash" https://www.bbc.com/news/technology-54175359
[10] Federal Ministry for Digital and Transport, "Ethics Commission Automated and Connected Driving" https://www.bmvi.de/SharedDocs/EN/Documents/G/ethic-commission-report.pdf?__blob=publicationFile
[11] Carl Frey and Michael Osborne, "The Future of Employment: How Susceptible are Jobs to Computerisation?" https://www.oxfordmartin.ox.ac.uk/downloads/academic/The_Future_of_Employment.pdf
[12] マクニカ「自動運転のレベル分けとは？レベル0～5までを一挙解説」https://www.macnica.co.jp/business/maas/columns/135343/
[13] モラル・マシン（日本語版） https: //www.moralmachine.net/hl/ja

**第5章**

[1] NHK「『パラ出場のために足を切るか』車いすバスケットボール・出場資格巡る波紋」https://www3.nhk.or.jp/sports/story/6215/
[2] Ray Kurzweil, *The Singularity Is Near*, Viking, 2005［レイ・カーツワイル（井上健監訳／小野木明恵・野中香方子・福田実訳）『ポスト・ヒューマン誕生』NHK出版、2007年.］
[3] Ashraf Khan, "Pakistan proud of pig-to-human heart transplant pioneer," https://www.bilyonaryo.com/2022/01/22/pakistan-proud-of-pig-to-human-heart-transplant-pioneer/
[4] Deborah Kotz, "University of Maryland School of Medicine

Faculty Scientists and Clinicians Perform Historic First Successful Transplant of Porcine Heart into Adult Human with End-Stage Heart Disease," https://www.medschool.umaryland.edu/news/2022/University-of-Maryland-School-of-Medicine-Faculty-Scientists-and-Clinicians-Perform-Historic-First-Successful-Transplant-of-Porcine-Heart-into-Adult-Human-with-End-Stage-Heart-Disease.html?fbclid=IwAR0tXnCcqZCtKqNidreasSStF8nE62N9NuZUN8vZUdPb6yN9%20QOIq9zJsFg0s

[5] 公益社団法人日本臓器移植ネットワーク（JOT） https://www.jotnw.or.jp/

[6] 高橋昌一郎『自己分析論』光文社新書、2020年.

[7] 高橋昌一郎『20世紀論争史』光文社新書、2021年.

[8] 毎日新聞科学環境部（編）『神への挑戦』毎日新聞社、2002年.

[9] 松田卓也『2045年問題』廣済堂新書、2012年.

[10] Joshua Miller, "Maryland Man Dies Months after Receiving First Pig Heart Transplant," https://nypost.com/2022/03/09/maryland-man-dies-months-after-first-pig-heart-transplant/

[11] 森望『寿命遺伝子』講談社ブルーバックス、2021年.

**参考資料①**

「日本ディベート協会」https://japan-debate-association.org/

**参考資料②**

「全国教室ディベート連盟」https://nade.jp/

**参考資料①**

## 日本ディベート協会「過去論題」

| | | |
|---|---|---|
| 2021年春 | (JDA) | 日本は積極的安楽死を合法化すべきである。 |
| | (NAFA) | 国際連合は(安全保障理事会)常任理事国の拒否権を廃止すべき。 |
| 2020年秋 | (JDA) | 日本は、国会議員の一定数以上を女性とするクオータ制を導入すべきである。 |
| | (NAFA) | 積極的安楽死の合法化。 |
| 2020年春 | (JDA) | 日本は嗜好用途の大麻を合法化すべきである。(大会開催せず)。 |
| | (NAFA) | 日本政府はベーシックインカムを導入すべき。 |
| 2019年秋 | (JDA) | 日本は最低賃金を大幅に引き上げるべきである。 |
| | (NAFA) | 日米安全保障条約の廃止。 |
| 2019年春 | (JDA) | 日本は著作権保護を目的とする、プロバイダーによるブロッキングを実施するための法整備をすべきである。 |
| | (NAFA) | 日本政府は義務投票制を導入すべきである。 |
| 2018年秋 | (JDA) | 日本は死刑制度を廃止すべきである。 |
| | (NAFA) | 日本政府は原子力発電所を全廃すべきである。 |
| 2018年春 | (JDA) | 日本は原則すべての国民に生活に最低限必要な現金を無条件で支給する制度を設けるべきである。 |
| | (NAFA) | 日本政府はカジノを合法化すべきである。 |
| 2017年秋 | (JDA) | 日本は難民認定の基準を大幅に緩和すべきである。 |
| | (NAFA) | 日本国は、憲法を改正し、武力による威嚇又は武力の行使を認めるべきである。 |
| 2017年春 | (JDA) | 日本は代理出産を実施するために必要な法的枠組みを整備するべきである。 |
| | (NAFA) | 日本政府はベーシックインカム制度を導入すべきである。 |

| | | |
|---|---|---|
| 2016年秋 | (JDA) | 日本は一般的国民投票制度を導入すべきである。 |
| | (NAFA) | 日本は環太平洋経済連携協定から撤退すべきである。 |
| 2016年春 | (JDA) | 日本は2020年の東京オリンピック・パラリンピックの開催権を返上すべきである。 |
| | (NAFA) | 国際連合は安保理常任理事国の拒否権を撤廃すべきである。 |
| 2015年秋 | (JDA) | 日本は、公共の場におけるヘイトスピーチを法的に禁止すべきである。 |
| | (NAFA) | 日本国政府は外国人労働者を大幅に増やす政策を採用すべきである。 |
| 2015年春 | (JDA) | 日本は公職選挙法で定める全ての選挙について、投票の棄権に罰則を設けるべきである。 |
| | (NAFA) | 日本国政府は日米安保条約を破棄すべきである。 |
| 2014年秋 | (JDA) | 日本は積極的安楽死を合法化すべきである。 |
| | (NAFA) | 日本国政府は国民皆保険制度を廃止すべきである。 |
| 2014年春 | (JDA) | 日本政府は、全ての遺伝子組換え食品の輸入、製造および販売を禁止すべきである。 |
| | (NAFA) | 日本国政府は大麻を合法化すべきである。 |
| 2013年秋 | (JDA) | 日本は企業の正社員の解雇に関する規制を大幅に緩和すべきである。 |
| 2013年春 | (JDA) | 日本は参議院を廃止するべきである。<br>＊プラン後の国会は衆議院のみの一院制とする。 |
| 2012年秋 | (JDA) | 日本は道州制を導入すべきである。 |
| 2012年春 | (JDA) | 日本国政府は原則全ての物品及びサービスに対する消費税の税率を上げるべきである。 |
| 2011年秋 | (JDA) | 日本政府は原子力発電所をすべて廃止すべきである。 |
| 2011年春 | (JDA) | 日本国は原則全ての職種において外国人労働者を認めるべきである。 |

| | |
|---|---|
| 2010年秋（JDA） | 日本国政府は代理出産もしくは着床前診断を合法化すべきである。 |
| 2010年春（JDA） | 日本国政府は炭素税を導入すべきである。 |
| 2009年秋（JDA） | 日本国は日米安全保障条約を終了すべきである。 |
| 2009年春（JDA） | 日本政府は原則全ての企業に対してワークシェアリング又は同一労働同一賃金の原則を推進すべきである。 |
| 2008年秋（JDA） | 日本政府は核燃料の再処理を放棄すべきである。 |
| 2008年春（JDA） | 日本はカジノを合法化すべきである。 |
| 2007年秋（JDA） | 日本は死刑を廃止すべきである。 |
| 2007年春（JDA） | 国際連合は国際連合憲章を改正し、日本国、インド、ドイツ連邦共和国、ブラジル連邦共和国のうち一カ国以上を安全保障理事会常任理事国に加えるべきである。 |
| 2006年秋（JDA） | 日本はインフレ目標政策を採用すべきである。<br>（このシーズンより、英語Wording廃止） |
| 2006年春（JDA） | Resolved: That the Japanese government should abandon all attempts to develop and to acquire all ballistic missile defense systems.<br>日本政府は、弾道ミサイル防衛システムの導入及び開発を一切放棄すべきである。 |
| 2005年秋（JDA） | Resolved: That the Japanese government should establish a legal framework that authorizes surrogate motherhood and/or preimplantation genetic diagnosis.<br>日本政府は、代理出産または着床前診断を実施するために必要な法的枠組みを整備すべきである。 |
| 2005年春（JDA） | Resolved: That the Japanese government should allow the employment of migrant workers from overseas in all or most workplaces by amending the immigration laws. |

| | |
|---|---|
| | 日本政府は出入国管理関係法令を改正し、原則すべての職種で海外からの移住労働者の雇用を認めるべきだ。 |
| 2004年秋（JDA） | Resolved: That the Japanese government should obligate every male full-time worker with a newly-born child to take child care leave.<br>日本政府は、全ての男性の正規労働者に，その子どものために育児休業を取得することを義務付けるべきである。 |
| 2004年春（JDA） | Resolved: That Japan, the People's Republic of China, the Republic of Korea, and all the ASEAN members should each abolish its domestic currency and jointly adopt a common currency.<br>日本・中国・韓国および全ASEAN加盟国は、自国通貨を廃止し、共通通貨を採用すべきである。 |
| 2003年秋（JDA） | Resolved: That the Japanese government should impose taxes on carbon dioxide emissions.<br>日本政府は、炭素税を導入すべきである。 |
| 2003年春（JDA） | 日本国政府は、教科書検定制度を廃止すべきである。<br>（英語Wordingなし〔NAFAで作成〕） |
| 2002年秋（JDA） | Resolved: That the Japanese government should relax its restrictions on the creation and use of human embryo clones for medical purpose.<br>日本国政府は、人クローン胚の作成および人体への応用に関する規制を大幅に緩和すべきである。 |
| 2002年春（JDA） | Resolved: That the Japanese government should significantly mitigate the requirements for acquiring Japanese nationality.<br>日本国政府は、日本国籍の取得条件を大幅に緩和すべきである。 |

| | |
|---|---|
| 2001年秋（JDA） | Resolved: That Japan should adopt a system of trials that substantially involves laypeople in making court decisions.<br>日本国は、一般市民が裁判内容の決定に実質的に関与できるように裁判制度を変えるべきである。 |
| 2001年春（JDA） | Resolved: That Japan should amend its Constitution so as to allow the threat or use of force for settling international disputes.<br>日本は、国際紛争を解決する手段としての武力による威嚇または武力の行使を認めるように憲法を変えるべきである。 |
| 2000年秋（JDA） | Resolved: That the Japanese government should prohibit the production, import, and sale of any and all genetically modified food.<br>日本政府は、全ての遺伝子組換え食品の輸入・製造・販売を禁止すべきである。 |
| 2000年春（JDA） | Resolved: That the Japanese government should abandon all nuclear facilities used for the national energy supply.<br>日本政府は、エネルギー供給のための原子力施設をすべて廃止すべきである。 |
| 1999年秋（JDA） | Resolved: That Japan should increase direct political participation of the people through the introduction of a direct election of the Prime Minister and/or a comprehensive system of national referendum.<br>日本は、首相公選制度又は国民投票制度の導入により、国民の国政への直接的な参加を可能にすべきである。 |
| 1999年春（JDA） | Resolved: That the Japanese government should take non-threatening diplomatic measures to promote amicable relations with North Korea.<br>日本政府は、北朝鮮に対し、より友好的な外交政策をとるべきである。 |

| | |
|---|---|
| 1998年秋（JDA） | Resolved: That the Japanese government should significantly reduce the progressiveness in the rates of direct taxes on individuals.<br>日本政府は、個人に課される直接税の累進性を大幅に緩和すべきである。 |
| 1998年春（JDA） | Resolved: That the Japanese government should significantly expand the scope of admissible evidence in criminal court.<br>日本政府は、刑事裁判において証拠として認められる範囲を拡大すべきである。 |
| 1997年秋（JDA） | Resolved: That the Japanese government should adopt a comprehensive program which increases the utilization of recycled material as ingredients in all or most industrial production.<br>日本政府は、製造業一般におけるリサイクルされた資材の使用を増加させる政策を行うべきである。 |
| 1997年春（JDA） | Resolved: That Japan should abolish the death penalty.<br>日本国は死刑を廃止すべきである。 |
| 1996年秋（JDA） | Resolved: That Japan and/or the United States should terminate the Japan-US Security Treaty.<br>日本国・アメリカ合衆国は日米安全保障条約を終了させるべきである。 |
| 1996年春（JDA） | Resolved: That the Japanese government should legalize practices of medical euthanasia or organ transplants from brain dead donors.<br>日本政府は医療行為としての安楽死、あるいは脳死した提供者からの臓器移植を合法化すべきである。 |
| 1995年秋（JDA） | Resolved: That Japan should promote closer diplomatic relations with one or more of the following: Myanmar, North Korea, and Taiwan. |

| | |
|---|---|
| | 日本はミャンマー・北朝鮮・台湾の一つ以上との外交関係をより緊密にすべきである。 |
| 1995年春（JDA） | Resolved: That Japan should adopt a system of jury trial in its courts of law.<br>日本国は、司法制度に陪審制を導入すべきである。 |
| 1994年秋（JDA） | Resolved: That the Japanese government should stop construction of all or most dams in Japan.<br>日本政府は、国内のすべて又はほとんどのダム建設をやめるべきである。 |
| 1994年春（JDA） | Resolved: That the Japanese government should dispatch military units to participate in the Peace Keeping Forces of the United Nations.<br>日本政府は、国連平和維持軍に部隊を派遣すべきである。 |

**参考資料②**

# 全国教室ディベート連盟「過去論題」

### 中学の部

第1回　「日本はサマータイム制を導入すべし。是か非か」

第2回　「日本は選挙の棄権に罰則をもうけるべし。是か非か」

＊「選挙の棄権」とは、投票しないことであり、白紙投票は含まない。

第3回　「日本はごみ収集を有料化すべきである。是か非か」

＊ごみ収集の有料化は、全国で行うものとする。

＊「ごみ」とは、産業廃棄物を除くすべての廃棄物とする。

＊「有料化」とは、ごみの量に応じて料金を徴収することとする。

第4回　「日本はサマータイム制を導入すべきである。是か非か」

第5回　「日本は死刑制度を廃止すべきである。是か非か」

＊他の刑事罰については変更を加えないものとする。

第6回　「日本は環境税を導入すべきである。是か非か」

＊導入は2003年とし、税額は炭素1トン当たり3万円とする。

第7回　「日本は未成年者の携帯電話使用を大幅に制限すべきである。是か非か」

＊すべての未成年者が携帯電話・ＰＨＳを所有することと継続的に借用することを禁止する。

＊勤労者が職務上必要な場合についてのみ、例外規定を設けてよい。

第8回　「地方自治体は中学生以上による住民投票制度を制定すべきである。是か非か」

＊地方自治体とは、日本の市町村を指すこととする（東京都の区を含む）。

＊住民投票制度とは、中学生以上の住民の直接請求によって行われるもので、過半数をもって可決とし、結果は法的拘束力を持つものとする。

第9回「日本は救急車の利用を有料化すべきである。是か非か」

＊有料化とは一回の利用につき定額の支払いを義務づけることとする。

＊有料化の対象はすべての利用者とする。

第10回「日本はレジ袋税を導入すべきである。是か非か」

＊レジ袋とは買い物などで、商品を運ぶために街の商店やスーパー、コンビニから無料又は有料で受け取る手提げ袋のことをいう。

＊客はレジ袋を1枚渡されるごとに5円を支払い、店は所在する市区町村に納入するものとする。

＊納められた税金は市区町村の環境対策費にあてる。

＊2007年4月1日より実施する。

第11回「日本はすべての動物園を廃止すべきである。是か非か」

＊動物園とは動物（主に哺乳類、鳥類）を収集・飼育し、広く一般に公開・展示する施設のことをいう。

＊2008年3月までに廃止する。

第12回「日本は小売店の深夜営業を禁止すべきである。是か非か」

＊ここでいう小売店とは、商品を消費者に売る有人の店舗とする。ただし、飲食店、ガソリンスタンドは除く。

＊深夜営業とは、午後10時から午前5時までの販売・配送とする。

＊2009年4月1日から実施する。

第13回 「日本は中学生以下の携帯電話の使用を禁止すべきである。是か非か」

＊携帯電話・PHS（通知機能のないインターネット端末を含む）を所有することと、継続的に借用することを禁止する。

＊身体に障害のある人については使用を認める。

第14回 「日本はすべての乗用自動車を電気自動車に切り換えるべきである。是か非か」

＊乗用自動車とは、主に人の移動に使用される定員10人以下の自動車とする。

＊電気自動車とは、二次電池、太陽電池、燃料電池からの電気のみを動力源とする自動車とする。

＊2026年1月1日以降、国内では電気自動車以外の走行を禁止するものとする。

第15回 「日本はペットの売買を禁止すべきである。是か非か」

＊ペットとは、愛玩用の動物（哺乳類、鳥類または爬虫類）とする。

＊売買とは、有償による取引（レンタルを含む）とする。

第16回 「日本は選挙の棄権に罰則を設けるべきである。是か非か」

＊公職選挙法で定めるすべての選挙を対象とする。

＊棄権とは、投票しないことであり、白紙投票は含まない。

＊1回の棄権につき過料1万円を課す。

＊病気等やむをえない理由による棄権は除く。

＊収入は選挙についての広報にあてる。

第17回 「日本は救急車の利用を有料化すべきである。是か非か」

＊有料化とは一回の利用につき定額の支払いを義務づけることとする。

＊有料化の対象はすべての利用者とする。

＊収入は、自治体の一般財源とし、使途を限定しないものとする。

第18回「日本は飲食店にドギーバッグの常備を義務付けるべきである。是か非か」

＊ドギーバッグとは自分の食べ残した料理を持ち帰るための容器をいう。

＊客が店または自分のドギーバッグの利用を希望した場合、店は応じなければならない。

＊客は自己の責任において持ち帰るものとし、持ち帰りによって生じた問題については店は責任を問われない。

第19回「日本は捕鯨を禁止すべきである。是か非か」

＊ここでいう捕鯨とは致死的方法によるものとする。

＊捕鯨の対象はイルカを含む全ての鯨類とする。

＊鯨肉の輸入、販売を禁止する。

第20回「日本は刑事事件における実名報道を禁止すべきである。是か非か」

＊ここでいう実名報道とは、個人を特定して、その人が加害者または被害者であることを推測させる情報を、仕事として不特定多数に提供することとする。

＊違反者には刑事罰を科すものとする。

＊公務員または公務員であったものが在任中に関わった事件の本人に関する情報は禁止の対象から除く。

＊本人または警察が実名報道を要請した場合を除く。

第21回「日本は地方公共団体の首長の多選を禁止すべきである。是か非か」

＊同一人物が同一地方公共団体で通算3期以上、首長に就任することを禁止する。

第22回「日本は小売店の深夜営業を禁止すべきである。是か非か」